Josef Ernst
Herr der Geschichte

S0-BBA-209

Stuttgarter Bibelstudien 88

herausgegeben von Herbert Haag,
Rudolf Kilian und Wilhelm Pesch

Josef Ernst

Herr der Geschichte

Perspektiven der lukanischen Eschatologie

Verlag Katholisches Bibelwerk
Stuttgart

236 W
Er66

79051411

ISBN 3-460-03881-0
Alle Rechte vorbehalten
© 1978 Verlag Katholisches Bibelwerk GmbH, Stuttgart

Heinz Schürmann
zum 65. Geburtstag

Vorwort

Die vorliegende Studie geht auf einen Vortrag zurück, den ich am 18. September 1976 vor dem Collegium Biblicum München gehalten habe. Die dort aufgestellten Thesen bedurften der genaueren Absicherung und Begründung. So erklärt es sich, daß auf weite Strecken etwas völlig Neues entstanden ist. An der theologischen Grundkonzeption, die man auf die Kurzformel „Eschatologie als Funktion der Christologie" bringen kann, hat sich jedoch nichts geändert. Wer will, mag diesen Beitrag als einen Epilog auf meinen Lukas-Kommentar im Regensburger Neuen Testament verstehen; was dort nur angedeutet werden konnte, ist hier deutlich ausgesprochen.

Ich widme diese Studie mit besonderer Freude Heinz Schürmann zum 65. Geburtstag. Wer heute zur Theologie des Lukas etwas erfahren oder sagen möchte, wird den international anerkannten und in jüngster Zeit auf den verschiedensten Ebenen geehrten Fachmann um Rat fragen müssen. Der Autor dieser Arbeit stellt sich dem kritischen Urteil des Jubilars.

Über die fachexegetischen Beziehungen hinweg veranlaßt mich eine sehr persönliche Bindung zu diesem Glückwunsch. Ich glaube, im Namen jener Gruppe von Kriegsheimkehrern sprechen zu dürfen, die in den Jahren 1946/47 von Heinz Schürmann behutsam und verständnisvoll ins Zivilleben zurückgeführt und in die Anfänge der Theologie eingeführt worden ist. Hier kann man nur sagen: „Der richtige Mann zur rechten Zeit am rechten Platz."

Den Herausgebern der SBS, vorab Herrn Kollegen Wilhelm Pesch, und dem Verlag Katholisches Bibelwerk, der die Drucklegung übernommen hat, möchte ich ganz herzlich danken. Als ich den Geburtstag von Heinz Schürmann ins Gespräch brachte, fand ich sofort uneingeschränkte Unterstützung. Auch dies ist ein Zeichen für die Wertschätzung eines verdienten Mannes.

JOSEF ERNST

Inhalt

Einführung 11

I. Teil
Entwürfe einer Eschatologie des Lukas 12
1. Heilsgeschichte als Ersatz für die Eschatologie 12
2. Die Jenseitigkeit des Heils an Stelle der Heilszukunft 17
3. Die Eschatologie als Funktion der Christusverkündigung 20

II. Teil
Kritische Würdigung der vorgestellten Modelle der
Eschatologie 23
1. Heilsgeschichte als Ersatz für die Eschatologie? 23
1.1 Steht Lukas mit seiner heilsgeschichtlichen Idee im
    Gegensatz zu der eschatologischen Verkündigung? . . 23
1.2 Hat Lukas die traditionelle eschatologische Verkündigung
    verdrängt oder konsequent umgearbeitet? 28
1.2.1 Zu These 1: Stetsbereitschaft statt Naherwartung . 28
     a) Lk 3,9.17 28
     b) Lk 10,9.11 31
     c) Lk 18,7f 37
     d) Lk 12,45f 40
     e) Lk 21,32 42
     f) Zusammenfassung 45
1.2.2 Zu These 2: Der göttliche Plan tritt an die Stelle
     der aktuellen Eschatologie 52
1.2.3 Zu These 3 und 4: Lukas reflektiert das Wesen des
     Reiches Gottes, das von der Idee des Christusreiches
     überlagert ist 55
1.2.4 Zu These 5: Der Geist ist nicht Kennzeichen der
     Endzeit, sondern Ausdruck für das christliche Leben in
     dieser Zeit 63
1.2.5 Zu These 6: Im Zuge der Enteschatologisierung treten
     Weltprobleme in den Vordergrund 68

1.2.6 Zu These 7: Die Gemeinde des Lukas ist nicht
bedroht durch das andrängende Ende, sondern durch
geschichtliche Verfolgungen   71
1.2.7 Zu These 8: An die Stelle der allgemeinen Eschatologie
ist die individuelle Eschatologie getreten   78
    a) Lk 12,16–21   78
    b) Lk 12,4f   81
    c) Lk 16,1–9   82
    d) Lk 16,19–31   85
    e) Lk 23,42f   86
Schlußfolgerung zu Abschnitt 1: Das Modell der
Heilsgeschichte   87
2. Die Jenseitigkeit des Heils an Stelle der Heilszukunft?   88
2.1 Auferstehung oder Entrückung?   89
2.2 Die anthropologischen Implikationen der zweischichtigen
Eschatologie   99
    a) Lk 12,4f = Mt 10,28   101
    b) Lk 9,25 = Mk 8,36   101
    c) Apg 2,31   102
    d) Lk 12,19f   104
    e) Lk 12,22 = Mt 6,25   104
    f) Lk 1,46f   105
    g) Lk 8,55 und Apg 20,10   105
    h) Lk 21,19   106
3. Die Eschatologie als Funktion der Christusverkündigung?   107
3.1 Das Schaliach-Institut als lukanisches Denkmodell? .   108
3.2 Weitere Hinweise für die korporative Einheit zwischen
Jesus und seinen Nachfolgern?   108
3.3 Neue Perspektiven für die Eschatologie des Lukas . .   110

Kurze Zusammenfassung und Ergebnis   112
Literaturverzeichnis   114

Einführung

Das Problem des 3. Evangeliums ist die Zeit, die von dem Kirchenmann der zweiten nachösterlichen Generation bewußt erfahren und reflektiert wird.[1] Eschatologie ist dagegen, wie immer man sie auch im einzelnen deuten mag,[2] die In-Frage-Stellung oder Relativierung der Zeit. Wie ist Lukas mit diesem angeblichen oder auch tatsächlichen Widerspruch fertiggeworden? Hat er sich gegen die Eschatologie ·für die Zeit entschieden? Hat er vielleicht einen Ausweg gesucht in der konsequenten Verlagerung des Heils in ein Jenseits der Zeit? Oder gab es für ihn einen dritten Weg, der es ihm ermöglichte, Zeit und Eschatologie miteinander in einem übergreifenden Sinne zu verbinden?

---

[1] Vgl. *Ernst*, Lukas 7.

[2] a) Das existentialtheologische Modell bezieht Eschatologie anthropologisch und existentialistisch auf das je persönliche Glauben im Sinne von „Entweltlichung". Der Faktor Zeit wird völlig negiert. Die Zeitkategorien der Apokalyptik sind mythische Chiffren, die auf ihre Bedeutung hin befragt werden wollen. Vgl. *Bultmann*, Glaube und Verstehen III, 106: „Eschatologie in ihrem echten christlichen Verständnis ist nicht nur das zukünftige Ende der Geschichte, sondern die Geschichte ist von der Eschatologie verschlungen".

b) Die „konsequente Eschatologie" *(J. Weiß, A. Schweitzer)* versteht das Eschatologische als ein Problem des Selbstbewußtseins Jesu. Sowohl die anläßlich der Galiläamission erwartete Ankunft des Menschensohnes (Mt 10,23) als auch das im zeitlichen Zusammenhang mit dem bewußt angestrebten Tode erwartete Hereinbrechen des Gottesreiches, hätten sich als Irrtum erwiesen. Das Zerbrechen der Eschatologie Jesu sei der Anfang des Christentums als moralische Institution.

c) Die Hypothese von der sog. Naherwartung geht ebenfalls von einem Irrtum Jesu *(W. G. Kümmel)* aus. Der entscheidende Unterschied liegt freilich im grundsätzlichen Festhalten an der Zukünftigkeit des Gottesreiches, das, obwohl es sich nicht in der von Jesus erwarteten Weise realisiert habe, doch noch eine auf den Menschen zukommende Wirklichkeit sei. Es habe sich lediglich eine retardierende Zwischenzeit eingeschoben, die aber an der Nähe des Gottesreiches prinzipiell nichts geändert habe.

d) Für die sog. realized eschatology gibt es genauso wie für die konsequente Eschatologie keine ausgesprochene Heilszukunft mehr nach Jesus. Was für A. Schweitzer das große Mißverständnis Jesu gewesen ist, ist nach *C. H. Dodd* höchst sinnvoll und gottgewollt. Die Ansage der zukünftigen Basileia

I. Teil
Entwürfe einer Eschatologie des Lukas

Es werden im folgenden drei Entwürfe vorgestellt, die aus der Diskussion nicht mehr wegzudenken sind. Jeder einzelne bietet eine Menge positiver Anregungen, die von verschiedenster Seite gewürdigt worden sind. Während die kritische Auseinandersetzung mit dem 1. und 2. Modell in Teil II breiter angelegt ist, beschränken wir uns bei Modell 3 auf einige Anmerkungen, die nicht als Abstriche an der prinzipiellen Zustimmung verstanden werden sollen.

1. HEILSGESCHICHTE ALS ERSATZ FÜR DIE ESCHATOLOGIE

Die bekannteste und von der modernen Exegese fast einhellig vertretene Antwort lautet: Lukas hat die frühchristliche Eschatologie durch die Idee der Heilsgeschichte ersetzt. Eschatologie wird entschärft und aus der Gegenwart in eine ferne, unbestimmbare und unberechenbare Zukunft abgedrängt. Die Zeit ist dagegen bewußt reflektiert und als die von Gott geplante Geschichte mit gewichtigen

---

müsse symbolisch als Ausdruck für „die überzeitliche Bedeutung des Heilstuns Gottes in Jesus Christus" (*Gräßer,* Naherwartung 68) verstanden werden.

e) *O. Cullmann* hat in seinem heilsgeschichtlichen Entwurf einen Ausgleich zwischen Eschatologie und Zeit versucht. Das Eschatologische erhält durch die Ereignisse von Kreuz und Auferstehung einen neuen Charakter. Das Warten auf die noch ausstehende Vollendung ist durch die bereits eingetroffene Erfüllung entschärft. Der „Victory Day" steht zwar noch aus, aber die Entscheidungsschlacht ist schon geschlagen.

f) In den Spätschriften des Neuen Testaments wird ein Kompromiß zwischen Eschatologie und Zeit erkennbar, aber die Behauptung, die Eschatologie habe sich zu einem Traktat über die „letzten Dinge" verselbständigt, wird dem komplexen Erscheinungsbild nicht gerecht. Das eschatologische Element der Verkündigung ist zwar gelegentlich in den Hintergrund getreten, aber von einer konsequenten Entwicklung in Richtung auf eine weltbezogene Theologie kann nur mit Einschränkung die Rede sein. Gerade die Spätschriften zeigen gelegentlich eine intensivere Naherwartung (1 Petr; Offb). Das „Amen! Komm, Herr Jesus" (Offb 22,20) läßt ein zentrales Thema des ganzen Neuen Testaments unüberhörbar anklingen.

Etappen gedeutet worden. Der Entwurf von H. Conzelmann[1] ist bekannt. Es genügt deshalb, ihn in großen Linien nachzuzeichnen. Heilsgeschichte läuft nach diesem Denkmodell ab in drei großen Phasen, die je in sich abgeschlossen und doch aufeinander hingeordnet sind. Die erste Phase, von Conzelmann „Zeit Israels"[2] genannt, steht ganz im Zeichen der Verheißung und Erwartung. Lk 16,16 stellt Gesetz und Propheten als die diesen Zeitabschnitt qualifizierenden Faktoren heraus. Johannes der Täufer wird als terminus ad quem verstanden, als Gestalt des Übergangs, die noch in die „alte Zeit" gehört, aber schon die „Wendemarke" fixiert. Die „Mitte der Zeit" ist durch die Anwesenheit des Heils im Wirken Jesu, in seinen Wundern und in seiner Verkündigung, entscheidend charakterisiert. Die Zeitgrenzen sind indes nicht identisch mit dem Lebensanfang[3] und dem Lebensende Jesu. Die Eckdaten sind vielmehr in den Bemerkungen vom Ablassen des Teufels „auf Zeit" (Lk 4,13) und von seiner „Wiederkehr" beim Verrat des Judas (Lk 22,3) gegeben. „Diese ‚Mitte' scheidet die erste Epoche, Israel, von der dritten, letzten, der Kirche."[4] Die „Zeit der Kirche", die durch die Verkündigung des in Jesus gekommenen Heils, durch die „Verwirklichung des Glaubens in der Gemeinschaft, in Sakrament und Gebet"[5] und durch die Erfahrung des Geistes bestimmt wird, ist durch die (in weiter Ferne liegende) Parusie, das absolute Ende des heilsgeschichtlichen Ablaufs, terminiert. Schöpfung am Anfang und Parusie am Ende bilden die beiden Grenzpunkte.[6]

Der entscheidende Anstoß zu diesem Entwurf ging aus von der *Erfahrung der Parusieverzögerung*, oder anders gesagt: von der erfahrenen Zeit, die theologisch bewältigt werden mußte. Das Eschaton, die Eschata, ehedem Mitte der Heilsverkündigung, wurden nun an den Rand abgedrängt. Die Erwartung des unmittelbar bevorste-

---

[1] *Conzelmann*, Mitte.

[2] *Conzelmann*, Mitte 9.

[3] *Conzelmann*, Mitte 9 Anm. 2: „Act 1,1f. scheint den Umfang des ersten Buches so zu bestimmen, daß die Geburts- und Kindheitsgeschichte nicht eingeschlossen ist. ἀρχή – ἄρχεσθαι bezeichnet bei Lc einen ganz bestimmten Zeitpunkt, nämlich den ‚Beginn in Galiläa'".

[4] *Conzelmann*, Mitte 158.

[5] *Conzelmann*, Mitte 194.

[6] *Conzelmann*, Mitte 10.

henden Endes, das bestimmende Element der urchristlichen Eschatologie, wurde nicht einfach beseitigt, sondern sie wurde angepaßt an die neuerfahrene Geschichte des Christentums als weltgeschichtliche Größe. Das die Zeitgenossen irritierende Problem der Parusieverzögerung wurde dadurch bewältigt, daß man dem ursprünglich primären Verkündigungsanliegen der urchristlichen Eschatologie einen sekundären Platz im Rahmen einer umfassenden heilsgeschichtlichen Theorie zuwies.[7] E. Käsemann hat das so ausgedrückt: „Ist das Problem der Historie in den andern Evangelien ein Spezialproblem der Eschatologie, so ist bei Lukas die Eschatologie zu einem Spezialproblem der Historie geworden"[8].

Es ist bekannt, daß E. Gräßer[9] diesen Weg konsequent weiter-

---

[7] *Conzelmann,* Mitte 88f: „Die Eschatologie des Lukas ist gegenüber der ursprünglichen Konzeption von der Nähe des Reiches eine sekundäre Konstruktion auf Grund bestimmter, ‚mit der Zeit' gar nicht mehr zu umgehender Reflexionen. Deren Ursache läßt sich erkennen: das Ausbleiben der Parusie. Die ursprüngliche Konzeption setzt voraus, daß das Erwartete *nahe* ist. Das bedeutet aber, daß sich die Erwartung mit einer Verzögerung nicht abfinden kann, da sonst der Bezug auf das Jetzt verloren geht. Das gilt bereits für die jüdische Apokalyptik. Zunächst geht auch in dieser die Hoffnung aus der Bedrängnis auf *baldige* Rettung. ‚Mit der Zeit' aber wird die Erwartung notwendig ‚apokalyptisch'. Von da her erklärt sich die Analogie zwischen jüdischer und christlicher Entwicklung". *Gräßer,* Naherwartung 11–27, setzt die Reflexion über das Verzögerungsproblem bereits für die früheste nachösterliche Zeit voraus. „Ja, man kann zeigen, daß schon in einem relativ frühen Traditionsstadium, nämlich in der Redaktion der synoptischen Evangelien, sogar schon auf der Traditionsstufe zwischen Jesus und dem Markus-Evangelium (also etwa Mitte des 1. Jahrhunderts) sich Spuren der Parusieverzögerung und Anstrengungen, sie zu bewältigen, bemerkbar machen" (17).

[8] *E. Käsemann,* Das Problem des historischen Jesus, in: *ders.,* Exegetische Versuche und Besinnungen I, Göttingen [3]1964, 187–214, bes. 199.

[9] *Gräßer,* Parusieverzögerung 178–198: „Durch seine eigene eschatologische Konzeption, die durch ‚Historisierung' bestimmt ist, gewinnt er (Lukas) ein Bild von der *Heilsgeschichte,* in dem auf das Festhalten der Naherwartung entschlossen verzichtet wird" (179). *Kümmel,* Lukas in der Anklage 149–165, bes. 150–156, bietet einen guten Überblick über die lukanische Geschichtstheologie mit ihren verschiedenen Implikationen.

gegangen ist und den Versuch unternommen hat, alle Naherwartungsvorstellungen aus dem Lukasevangelium herauszuinterpretieren. G. Schneider[10] hat sich dieser Position für das Gebiet der lukanischen Parusiegleichnisse angeschlossen. Er spricht von einem einheitlichen Bild: das 3. Evangelium hat Naherwartungstexte nicht einfach getilgt, sondern im Gefolge der Verzögerungsproblematik neu gedeutet.[11]

Als Leitmotive der Umformung bzw. als charakteristische Merkmale des neuen eschatologischen Verständnisses werden in breiter Übereinstimmung folgende Punkte genannt:

1. An die Stelle der Naherwartung ist die „Stetsbereitschaft" getreten.[12]

2. Der göttliche Plan,[13] der sich insbesondere in der weltweiten, bislang noch nicht zum Abschluß gelangten Mission[14] realisiert, tritt an die Stelle der aktuellen Eschatologie.

3. Das Reich Gottes ist kein Ereignis, sondern eine feststellbare und in seinem Wesen darstellbare Größe.[15]

---

10 *Schneider,* Parusiegleichnisse.

11 *Schneider,* Parusiegleichnisse 91.

12 *Löning,* Lukas 225f: „Die Wachsamkeitsforderung enthält bei Lukas den Aufruf zu steter Bereitschaft und zuverlässiger Treue. Sie erhält ihren Sinn nicht aus der bedrohlichen Nähe des Weltendes, aus der unmittelbar bevorstehenden Allgewalt apokalyptischer Schrecknisse, sondern gerade im Gegenteil aus der zermürbenden Alltäglichkeit des Christendaseins, ganz gleich, ob sich die Gefahr aufgrund permanenter Verfolgung [vgl. Lk 21,12–19] oder im Rahmen ganz gewöhnlicher Lebensbedingungen [21,34] einstellt".
    Schneider, Parusiegleichnisse 91.93.95.

13 Der Ausdruck „Plan" ist nicht lukanisch; die gemeinte Sache zeigt sich aber in einer ausgeprägten Terminologie, so etwa die Zusammensetzungen mit „voraus" (πρό): Apg 2,23; 3,18; 7,52; 13,24; 22,14; 26,16, in dem Begriff „Ratschluß" (βουλή): Lk 7,30; Apg 2,23; 4,28; 20,27, in Aussagen mit Hilfe des Begriffs „beschließen" (ὁρίζω bzw. προορίζω): Apg 2,23; 4,28; Lk 22,22. Vgl. *Conzelmann,* Mitte 141–144.

14 „Der Termin (der Wiederkunft Christi) wird nicht zeitlich, sondern räumlich angegeben: ‚... bis zu den Grenzen der Erde'" *(Löning,* Lukas 223).

15 Lukas spricht nicht, wie Mk 9,1, vom „Kommen" der Basileia, sondern vom „Sehen" des Gottesreiches. Lk 9,27: „Ich sage euch aber, und das ist wahr: von denen, die hier stehen, werden einige nicht sterben,

4. Die Idee des Christusreiches schiebt sich neben die des Gottesreiches.[16]

5. Die veränderte eschatologische Perspektive zeigt sich in einem veränderten Verständnis des Pneuma. Das Pneuma ist nicht mehr das Kennzeichen der letzten Zeit,[17] sondern die Ermöglichung der christlichen Existenz in dieser Welt.[18]

6. Damit geht einher das Hervortreten von typischen Weltproble-

---

bis sie *das Reich Gottes gesehen haben*". Mk 1,15: „Die Zeit ist erfüllt, das Reich Gottes ist nahegekommen" ist bei Lk getilgt, statt dessen ist von der Lehre Jesu die Rede (4,16–20.21: „Heute hat sich dieses Schriftwort, das ihr eben gehört habt, erfüllt").

[16] Lk 1,33: „sein Reich"; 22,30: „mein Reich"; 23,42: „dein Reich". Einige Theologen identifizieren das Christusreich mit dem Zwischenreich der Johannesapokalypse, während das Gottesreich nach ihrem Verständnis sich gegenwärtig in der Kirche realisiert. Andere deuten das Christusreich auf die Kirche, so *Weiß*, Predigt Jesu 112: „Die Kirchengeschichte ist das Messiasreich. Die συντέλεια τοῦ αἰῶνος steht auf einer Linie mit der Johanneischen ἐσχάτη ἡμέρα, die auch ein sehr fernliegender Termin ist. Man lebt nicht mehr in der lebendigen Erwartung der βασιλεία, der ζωή, der κρίσις, da man dies alles schon, wenn auch in vergeistigter und verkirchlichter Form besitzt".

Schnackenburg, Gottes Herrschaft und Reich 226: „So muß hier angemerkt werden, daß das himmlische transzendente Reich Christi nicht im Zentrum des neutestamentlichen Denkens steht und dort, wo es ins Blickfeld tritt, noch immer alles Licht, alle Farben, alle Kraft vom erwarteten eschatologischen Reich Christi und Gottes empfängt".

[17] *Bultmann*, Theologie 43: „Wie Jesus im Weichen der Dämonen vor dem in ihm wirkenden Geist das Hereinbrechen der Endzeit spürt (Mk 3,28f.; Mt 12,28? vgl. Lk 11,20), und wie für Paulus das in der Gemeinde wirksame πνεῦμα die ἀπαρχή (Rm 8,23), der ἀρραβών (2. Kr 1,22; 5,5) der bevorstehenden Vollendung ist, so weiß die Urgemeinde, daß ihr *der Geist* geschenkt ist, die Gabe der Endzeit, der nach jüdischer Anschauung seit den letzten Propheten von Israel gewichen ist, dessen Austeilung für die Endzeit aber verheißen ist".

[18] *E. Schweizer*, πνεῦμα, in: ThWNT VI 410: „Aber der Geist bestimmt nicht die Existenz des Glaubenden schlechthin als eine völlig neugewordene, ,eschatologische', sondern verleiht ihm eine besondere Gabe, die ihn zu ganz bestimmten zusätzlichen Äußerungen seines Glaubens befähigt, die eben gerade für die noch nicht abgeschlossene, weiterlaufende Missionsgeschichte wesentlich sind, ja diese überhaupt erst ermöglichen". Vgl. auch *Conzelmann*, Mitte 194.

men, etwa die Frage nach Reichtum und Besitz, die Rolle der Frau in der Gemeinde, die Bewährung in den vielfältigen Gefährdungen dieser Zeit, der Kampf gegen Ermüdungserscheinungen, kurz: Probleme, die sich aus der Existenz der Kirche in der Zeit und in der Welt ergeben.[19]

7. Die Gemeinde ist nicht bedroht durch das andrängende Ende aller Dinge, sondern durch die geschichtlichen Verfolgungen und die Erfahrungen des Martyriums „um meines Namens willen" (Lk 21,17). Die endzeitlichen Drangsale (Mk 13,19) werden geschichtlich erfahren in den Bedrängnissen dieser Zeit (Lk 21,23). Die Passion Jesu ist unter dem gleichen paränetischen Leitgedanken als das vorbildliche Martyrium dargestellt.

8. An die Stelle der allgemeinen Eschatologie tritt die individuelle Eschatologie. „Mit seiner Blickrichtung auf den einzelnen, dessen Schicksal im Tode besiegelt wird, ermöglichte Lukas dem Menschen seiner Zeit eine wirkliche, den Alltag bestimmende Erwartungshaltung."[20] C. K. Barrett[21] spricht von der je privaten und persönlichen Parusie des Menschensohnes im Augenblick des Todes. "That which was to happen in a universal sense at the last day, happened in individual terms when a Christian came to the last day of his life." So gesehen bringt die Zukunft nichts mehr von Bedeutung. Wir werden auf die angeführten Argumente im einzelnen noch einzugehen haben. Zunächst soll auf die zentrale Frage nach dem Verständnis der Eschatologie bei Lukas eine zweite Antwort vorgelegt werden.

2. DIE JENSEITIGKEIT DES HEILS AN STELLE DER HEILSZUKUNFT

Im Zusammenhang mit einem veränderten Welt-, Daseins- und Vollendungsverständnis sah sich Lukas veranlaßt, die herkömmlichen apokalyptisch geprägten Denkschemata abzulegen und der Eschatologie eine neue Orientierung zu geben. Für diesen Entwurf ist die

---

[19] Vgl. *Ernst,* Lukas 16–19.

[20] *Schneider,* Parusiegleichnisse 96.

[21] *C. K. Barrett,* Stephen and the Son of man, in: Apophoreta. Festschrift für E. Haenchen (BZNW 30) Berlin 1964, 32–38, bes. 36.

Studie von H. Flender[1] repräsentativ. Während Paulus und Johannes auf verschiedene Weise und doch im Grundsätzlichen übereinstimmend sich gegen Welt und Geschichte für Gott entschieden haben, stellt sich Lukas der Aufgabe, „die (weitergehende) Geschichte der Welt, in der sich das Christusereignis zugetragen hat, und die neue Welt Gottes, die Christus gebracht hat, aufeinander zu beziehen"[2]. Es ist in diesem Zusammenhang nicht erforderlich, im einzelnen aufzuzeigen, wie nach dem Verständnis von Flender diese Bewältigung geleistet worden ist. Es sei nur angedeutet, daß a) der Schöpfungscharakter der Welt im Lichte der Christusoffenbarung betont wird,[3] daß b) die Kirche als der „weltliche Ort, der für Gottes Heilswirken offen ist",[4] stärker ins Blickfeld tritt, daß c) die „Vergangenheit des Heilsgeschehens ... als die Voraus-Setzung des gegenwärtigen Heils"[5] eine unaufgebbare Bedeutung erhält. d) Die Transzendierung des Heils in ein mit dieser Welt zugleich vorhandenes Jenseits ist der entscheidende neue und bestimmende Gesichtspunkt. Das neue Stichwort heißt „Erhöhung", welche von der Auferstehung zu unterscheiden ist. Lukas hat nicht einfach die Parusie auf einer vorgegebenen Zeitlinie hinausgeschoben bis an ein unbestimmbares Ende, wie es Conzelmann annimmt, „er überträgt (vielmehr) theologische Aussagen, die vorher auf die Parusie Jesu

---

[1] *Flender,* Heil und Geschichte. Erste Hinweise für die „Umformung" der Eschatologie wurden von *Weiß,* Predigt Jesu, gegeben.

[2] *Flender,* Heil und Geschichte 147.

[3] Jesus Christus ist der „wahre Adam" (Lk 3,23.38); schöpfungsmäßige Strukturen werden in der Areopagrede der Apg bedacht (Apg 17,22–34). „Ebenso werden im Schema von Frage und Antwort alte und neue Welt so aufeinander bezogen, daß die Situation der alten Welt, die sich in der Frage (oder Bitte usw.) an Jesus äußert, von der Antwort Jesu her korrigiert wird. Die Botschaft Christi dringt in die Sozialstruktur der alten Welt ein und gestaltet sie um zur Offenheit für das Wort" *(Flender,* Heil und Geschichte 148). Die alte Welt ist einerseits anerkannt als Schöpfung, andererseits durch das Kommen Jesu Christi aufgehoben.

[4] *Flender,* Heil und Geschichte 148: „So ist die irdische Gestalt der Kirche ernst genommen und zugleich durch das total überlegene, qualitativ völlig verschiedene ‚himmlische' Christusgeschehen begrenzt und überboten".

[5] *Flender,* Heil und Geschichte 149.

bezogen waren, auf seine Erhöhung. Das Zukünftig-Himmlische ist für ihn zugleich das Jenseitig-Himmlische"[6].

Die Vollendung ereignet sich ganz entscheidend im jetzt schon gegenwärtigen, freilich nur durch das Tor des persönlichen Todes erreichbaren Himmel. Geschichte hat mit dem Heil nichts zu tun; sie ist absolut weltlich. Heil wird eingeengt auf den Bereich des Individuellen. Hier macht sich deutlich der Bultmann'sche Denkansatz bemerkbar.

Auf einem anderen Wege wird hier das gleiche Ziel angesteuert, das bei Conzelmann bereits angedeutet wurde: die individuelle Eschatologie ersetzt die allgemeine Eschatologie, die kosmischen Perspektiven werden relativiert oder ausgeschaltet. Für Jesus ereignete sich der Übertritt in die „himmlische" Welt in der Himmelfahrt, die sich schwergewichtig über die Auferstehungs-Parusie-Vorstellung gelegt hat.[7] An die Stelle des Gegenwarts-Zukunfts-Schemas ist das „Oben-Unten"-, „Diesseits-Jenseits"-, „Erde-Himmel"-, „Zeit-Ewigkeit"-Modell getreten. Obwohl die Eschatologie im Pneuma, das vom Himmel herabgekommen ist und im Wort der Verkündigung in der Kirche lebendig erfahren wird, ihre Spannkraft beibehält, bestimmt doch der himmlische Ursprung den Charakter der Eschatologie: Lukas kennt keine „Heilsgeschichte' in dem Sinne, daß das göttliche

---

[6] *Flender,* Heil und Geschichte 91. Der *Einzug Jesu in Jerusalem,* der von der frühesten Tradition im Zusammenhang mit der Passion gedeutet wurde, sei für Lukas „ein Typos der Herrschaft Jesu im Himmel" (85). Die himmlische Inthronisation ist am Ende der irdischen Reise Jesu zeichenhaft „vorausdargestellt". Die Himmelfahrt Jesu, die in der Darstellung der Apostelgeschichte „deutlich Anklänge an die Terminologie der Parusie" (87) zu erkennen gebe, sei durch die Verwendung von Dan 7,13 im Sinne einer „Inthronisation des Menschensohnes im Himmel" gedeutet. Die aus der Logienquelle übernommene Wiederkunftsrede im 17. Kap. des Lukasevangeliums spiele mit der pluralischen Fassung der „Tage des Menschensohnes" (V. 22) in Übereinstimmung mit den „Tagen der Aufnahme" (Lk 9,51) auf die Erhöhung an. Diese Auslegung wird nach dem Verständnis von Flender bestätigt durch das Wort von der „Wiederherstellung aller Dinge Apg. 3,20f." (89).

[7] *Talbert,* Antidoketische Frontstellung 365: „Das Himmelfahrtsmotiv umschließt für Lukas den Gesamtkomplex von Tod, Grablegung und Auferstehung Jesu". Vgl. auch *Rengstorf,* Lukas 129.

Heil in die menschliche Geschichte hinein verlängert würde"[8]. Das Ziel der Sendung Jesu ist mit der Erhöhung erreicht; infolgedessen ist der Gedanke der Parusie, das Warten auf etwas Kommendes, auf die Vollendung, überflüssig. Erhöhung und Parusie liegen sachlich auf derselben Ebene. Konsequenterweise sind – so Flender – die Eschata auf das Lebensende des einzelnen bezogen.[9]

Aber sind sie das wirklich? Das ist die entscheidende Frage, der wir nachgehen müssen. Zuvor soll eine dritte Antwort auf die Frage nach der Eschatologie bei Lukas vorgestellt werden.

3. DIE ESCHATOLOGIE ALS FUNKTION DER CHRISTUS-VERKÜNDIGUNG

Die bemerkenswerte Studie von E. E. Ellis ist in ihrem spekulativen Ansatz durch die richtige Einsicht, daß die Eschatologie bei Lukas kein Sonderthema neben anderen, sondern ein theologisches Gestaltungsmotiv ist, bestimmt.[1] Die Frage kann deshalb nicht lauten, ob Lukas die herkömmliche Eschatologie verwendet hat,[2] es geht vielmehr um Spuren einer lukanischen Aufarbeitung von traditionellen Themen im Sinne einer Integration.

Da die vorliegende Untersuchung der Arbeit von Ellis viele gute Anregungen verdankt, sollen hier die teilweise unsystematischen und, wie der Autor eingangs [3] auch eingesteht, subjektiv bestimmten Gedanken in Kürze besprochen werden. Der zentrale Basissatz lautet: „Die lukanische Eschatologie ist durch die Absicht charakterisiert, die ausschließliche Vermittlung der eschatologischen Erfüllung durch Jesus und damit das Verhältnis zwischen diesem und dem kommenden Äon aufzuzeigen"[4].

---

[8] *Flender,* Heil und Geschichte 131.

[9] *Flender,* Heil und Geschichte 19f.142. *Ellis,* Funktion 391f.

[1] *Ellis,* Funktion 387: „Aus der Frage nach der Funktion der Eschatologie *bei Lukas* ist die Frage nach der Funktion der Eschatologie *für Lukas selbst* geworden".

[2] *Ellis* verzichtet denn auch vollständig auf einen Motivvergleich. Die traditionellen apokalyptischen Bilder decken das ganze Spektrum der Eschatologie noch nicht ab.

[3] *Ellis,* aaO. 389.

[4] *Ellis,* aaO. 395.

1. Für die vorösterliche Situation werden die bekannten „Gegenwartsstellen" Lk 10,9 und 11,20 ἤγγικεν ἐφ᾽ ὑμᾶς und ἔφϑασεν ἐφ᾽ ὑμᾶς („gekommen ist zu euch") herangezogen, die allerdings nicht als Ausdruck der Gegenwärtigkeit des Reiches Gottes, sondern als Hinweis auf „eine Identifikation der Nachfolger Jesu mit dessen eigener Person"[5] verstanden werden. Als Stütze dieser These werden a) die Apostel(Jünger)-Aussendung, b) die Beauftragung zum Reden und Handeln im Namen Jesu, c) die dem Schächer am Kreuz zugesagte Jesusgemeinschaft (Lk 23,43) und d) die „Kommunion der Teilnehmer des Abendmahles mit Jesus, der sich mit Brot und Wein" identifiziert, ins Feld geführt. Durchgehende Leitmotive seien das jüdische Schaliach-Institut, „wo der Abgesandte den Sendenden persönlich repräsentiert" und die „Vorstellung der korporativen Einheit der Gruppe mit ihrem Führer". Als Belegstellen gelten Apg 9,4: „Warum verfolgst du mich?", das Motiv des Tempels, der „nicht mit Händen gemacht" ist (vgl. Lk 20,17 [ein korporatives Verständnis ist hier mehr als fraglich]; Apg 6,14; 7,48; 15,16; 17,24). „Anders als Paulus drückt Lukas die korporative Einheit der Christen mit Jesus in verschiedenen Bildern aus, die weitgehend mit traditionellen Erzählungen und Begriffen verknüpft sind."[6]
2. Das Verhältnis des gegenwärtigen Äons zu dem zukünftigen sei durch die Zweistufeneschatologie, welche die herkömmliche „doppelte Eschatologie" des apokalyptischen Judentums ersetzt, neu gedeutet. Dies komme unter anderem zum Ausdruck in der doppelten Funktion des Pneumas als Vermittler des eschatologischen Segens im gegenwärtigen Wirken Jesu und als Instanz des endzeitlichen Strafgerichtes (Lk 4,18f [hier fehlt freilich der entscheidende Passus des Jesaja, der vom Gericht handelt]; 3,16f), in der Unterscheidung zwischen Jesus, dem „Ersten aus der Auferstehung der Toten" (Apg 26,23) und seinen „Nachfolgern" (Lk 20,36; 14,14; 17,30–35; 21,28; Apg 17,18; 23,6; 24,15). Die Vollendung ist jetzt an die Jesusgemeinschaft (Lk 23,43) oder an das „Sein in Gott" (Lk 20,36) gebunden, die Zukunftsperspektive sei damit freilich nicht verkürzt.
3. Das Wesen der „Kontinuität und Diskontinuität zwischen diesem

---

[5] *Ellis,* aaO. 396.
[6] *Ellis,* aaO. 396f.

und dem kommenden Äon"[7] sei durch die Person und durch die Sendung Jesu bestimmt. Bezüge solcher Art könnten mit Sicherheit in den Krankenheilungen (vgl. Lk 5,23f), in den Naturwundern und in der von Lukas besonders betonten körperlichen Auferstehung erkannt werden, wie auch „in dem Hinweis auf das Paradies (Lk 23,43) und Adam (Lk 3,38) und in der Sicht der Vollendung als Wiederherstellung (Apg 1,6; 3,21)"[8]. Die entscheidende Frage, wie der kommende Äon sich gegenwärtig realisiert, wird in einem abschließenden Resümee christologisch und pneumatologisch beantwortet: „Man hat beobachtet, daß Matthäus futurische Eschatologie und Kirche miteinander verbindet. Auf der anderen Seite verbindet Lukas futurische Eschatologie mit dem Geist oder mit Jesus. Jesus, der den Geist verleiht (Apg 1,5; 2,33), repräsentiert in seiner Auferstehung die individuelle Erfüllung des kommenden Äon. Seine Nachfolger offenbaren nicht nur dieselben *eschatologischen Kräfte des Geistes* wie er, sondern stehen auch in *korporativer Identifikation mit dem (auferstandenen) Herrn*. Durch beides bestimmt Lukas den neuen Äon als eine gegenwärtige Realität"[9].

Die Studie von Ellis gibt bedenkenswerte Anstöße, die hier im einzelnen nicht aufgearbeitet werden können. Die Konzentration der gesamten Eschatologie mit ihren unterschiedlichen Aspekten[10] auf die Person Jesu verdient größte Aufmerksamkeit. Diese grundsätzliche Zustimmung darf jedoch den Blick nicht ablenken von einigen Unausgeglichenheiten oder Fehleinschätzungen, auf die im II. Teil hingewiesen werden soll.

---

[7] *Ellis*, aaO. 398.
[8] *Ellis*, aaO. 398.
[9] *Ellis*, aaO. 402.
[10] Allgemeine Eschatologie, individuelle Eschatologie, Befreiung und Gericht, Gottesreichpredigt und Christusverkündigung, horizontale und vertikale Eschatologie.

II. Teil
Kritische Würdigung der vorgestellten Modelle der Eschatologie

Nach dem ersten darstellenden Teil soll nun in einem zweiten Abschnitt der Versuch einer kritischen Würdigung unternommen werden. Es wird sich hierbei zeigen, daß die als richtig erkannten Thesen des Modells 3 (E. E. Ellis) der Auseinandersetzung mit den beiden anderen Entwürfen (1 und 2) den Weg weisen.

1. HEILSGESCHICHTE ALS ERSATZ FÜR DIE ESCHATOLOGIE?

Es ist nicht möglich und auch nicht erforderlich, die breit angelegte Diskussion über die Legitimität des heilsgeschichtlichen Denkens im Neuen Testament an dieser Stelle nachzuzeichnen.[1] Wir konzentrieren uns vielmehr auf den besonderen Beitrag, den Lukas geleistet hat, und zwar unter einem zweifachen Aspekt:

1.1: STEHT LUKAS MIT SEINER HEILSGESCHICHTLICHEN IDEE IM GEGENSATZ ZU DER ESCHATOLOGISCHEN VERKÜNDIGUNG?

Erscheint der dritte Evangelist, wie R. Bultmann,[2] E. Käsemann[3] und

---

[1] Vgl. *Kümmel,* Heilsgeschichte; *Cullmann,* Christus und die Zeit; *ders.,* Heil als Geschichte.

[2] *Bultmann,* Glaube und Verstehen I, 2: „Der Gegenstand der Theologie ist Gott ... Gott bedeutet die radikale Verneinung und Aufhebung des Menschen; die Theologie, deren Gegenstand Gott ist, kann deshalb nur den λόγος τοῦ σταυροῦ zu ihrem Inhalt haben; dieser aber ist ein σκάνδαλον für den Menschen".

[3] *E. Käsemann,* Das Problem des historischen Jesus, in: *ders.,* Exegetische Versuche und Besinnungen I, Göttingen [3]1964, 200: „Offenbarung hört auf, Gottes Offenbarung zu sein, wenn man sie in einen Kausalzusammenhang bringt. Sie ist, was sie ist, nur als begründbare Begegnung". *Käsemann,* Paulus und der Frühkatholizismus, in: *ders.,* Exegetische Versuche und Besinnungen II, Göttingen [3]1968, 252: „Aberglauben an Geschichte und Heilsgeschichte als Offenbarungsquellen".

andere mit ihrer zum Teil massiven Kritik an jeder Art von Geschichtstheologie bedeuten, „als blinder Passagier im Neuen Testament"[4]?

Das anstehende Problem ist an einem Vergleich zwischen Lukas und Paulus, der nach Auffassung vor allem der an Bultmann orientierten Exegese den ursprünglichen kerygmatisch-eschatologischen Tenor der Jesusverkündigung am klarsten wiedergibt, zu untersuchen. Man darf mit Recht fragen, ob die paulinische Verkündigung trotz der scharfen Ablehnung der jüdischen Tradition in der Rechtfertigungslehre in Fragen der Eschatologie, speziell in der apokalyptischen Ausprägung, nicht doch auch geschichtliche Strukturen aufweist. U. Wilckens hat hierzu wichtige Ausführungen gemacht:

„Paulus hat . . . im christlichen Kerygma den jüdischen Glauben an Gott im Blick auf sein mit der Erwählung begonnenes und in der zukünftigen Endzeit vollendetes Heilshandeln übernommen. Das Kerygma verkündigt jedoch die letzte, wunderbare Verwirklichung der Erwählung, die mit der Auferweckung des für die Sünder gekreuzigten Jesus bereits eingesetzt hat. *Christus ist als ‚das Ende des Gesetzes' die Vollendung der göttlichen Erwählungsgeschichte.* Wo das Christuskerygma gepredigt und angenommen wird, da ist der christliche Gott mit dem des alttestamentlich-jüdischen Glaubens identisch: der Gott Abrahams, Isaaks und Jakobs, der Gott der Erwählung, dessen verläßliche Treue nicht wankt, der Gott der Schrift und ihrer Verheißungen. Der heilsgeschichtliche Rahmen, den das frühchristliche Kerygma vom Judentum übernommen und weitergebildet hat, ist durchaus wesentlich und unverzichtbar. So gesehen, steht Lukas mit seiner heilsgeschichtlichen Konzeption bei all ihrer spezifischen Prägung in breiter urchristlicher Tradition"[5].

Es ist nicht zu bestreiten, daß für Paulus mit dem Christusereignis, näherhin mit Tod und Auferweckung, die Endereignisse aufs engste verbunden waren. Aber es gibt auch noch das Endzeitlich-Ausstehende, das auf den Christen mit fortschreitender Zeit zukommt (Röm 13,11). Es gibt vor allem die Heidenmission, deren Fortschreiten in direktem Zusammenhang mit der Heilsgeschichte gesehen werden muß. Die Periode zwischen Ostern und Parusie steht zwar

---

[4] *Wilckens,* Der Aspekt 194.
[5] *Wilckens,* Der Aspekt 199.

unter dem Drängen der Naherwartung, aber sie ist erfahrene und theologisch reflektierte Zeit. Die diesbezügliche Bemerkung von O. Cullmann[6] verdient Beachtung: „Die Gegenüberstellung Paulus und Lukas . . . bringt gewiß richtige Erkenntnisse. Aber auch sie gewänne an Wert, wenn sie von der fragwürdigen existentialen Interpretation der Paulusbriefe, daß es nämlich für Paulus keine Heilsgeschichte gebe, losgelöst würde". Die Unterschiede zwischen Paulus und Lukas beruhen in Wirklichkeit darauf, daß im Zuge der geschichtlichen Weiterentwicklung Lukas theologisch über das Problem der Zeit reflektiert und aufgrund der neu hinzugekommenen Erfahrungen als da sind: sich dehnende Zeit, individueller Tod, fortschreitende Mission, das vorgegebene Schema „Zeit der Verheißung" – „Zeit der Erfüllung" um die dritte Position „Vollendung" ergänzt und ausgeweitet hat. Lukas hat genaugenommen nicht, wie Conzelmann behauptet, die Heilsgeschichte in drei Phasen eingeteilt, die voneinander streng geschieden und verschieden sind,[7] er hat lediglich innerhalb des vorgegebenen Modells von Verheißung und Erfüllung der immer deutlicher in Erscheinung tretenden Unterscheidung zwischen Auferstehung und Parusie Rechnung getragen. Die Zeit der Kirche ist, insofern sie wie die Jesuszeit christusbezogen ist, nur eine besondere Phase der mit dem *Kommen* Christi einsetzenden und in der *Parusie* abgeschlossenen Zeit der Erfüllung.[8] Damit ist in groben Linien ein Geschichtsplan entworfen. Das aber geschieht keinesfalls im Gegensatz oder im Unterschied zu Paulus, allenfalls im Gegensatz zu einem existential-theologisch ausgelegten Paulus.

---

[6] *Cullmann*, Heil als Geschichte 223.

[7] *Conzelmann*, Mitte 5: „Die Zeit *Jesu* und die Zeit der *Kirche* werden als verschiedene Epochen eines umfassenden heilsgeschichtlichen Ablaufes dargestellt, die jeweils durch ihre besonderen Charakteristica unterschieden werden".

[8] Ähnlich auch *Schürmann*, Evangelienschrift 263: „Lukas sieht die Erfüllungszeit von seinem Standpunkt: von der ‚Zeit der Verkündigung', der ‚Zeit der Kirche' her, die für ihn die ‚Mitte der Erfüllungszeit' ist, die Mitte der ἡμέραι αὗται (Apg 3,24), in denen es das ekklesiologische ἡμεῖς gibt (Lk 1,1f.). Von dieser Mitte her sieht Lukas dann im Erfüllungsgeschehen sowohl in Rückschau die πεπληροφορημένα πράγματα (Lk 1,1), das γενόμενον ῥῆμα (Apg 10,37), als auch in Vorschau die Apokatastasis (Vgl. Apg 3,18 und 3,21)".

Der Nachweis für die heilsgeschichtlichen Elemente bei den Synoptikern und bei den wichtigsten Traditionszeugen des Neuen Testamentes muß an dieser Stelle nicht geführt werden.[9] Es sei nur noch einmal festgestellt, daß Heilsgeschichte nicht erst die Entdeckung des Lukas ist. Der dritte Evangelist hat sie zwar bewußter gestaltet und zum Schlüsselbegriff seiner Theologie gemacht, aber die sachliche Wurzel liegt bei Jesus selbst, der in seiner Verkündigung die heilsgeschichtliche Deutung der Heilstaten gegeben hat.[10] Dieser

---

[9] Es sei verwiesen auf die Hinweise von *Kümmel,* Heilsgeschichte 454–457. Dort auch Literaturangaben zu den einzelnen Traditionen.

[10] *Cullmann,* Heil als Geschichte 223: „Entscheidend ist …, daß das Kommen des Gottesreiches erwartet wird, *weil* die für dieses Kommen entscheidende Tat schon erfolgt ist".

Die von *F. Mußner,* „Gab es eine galiläische Krise"?, in: Orientierung an Jesus. Festschrift f. J. Schmid, Freiburg–Basel–Wien o. J. (1973) 238 bis 252, aufgezeigte historische Tatsache eines „galiläischen Frühlings" und einer „galiläischen Krise", die eine „indirekte(n) Zweistufenchristologie" („was dann auch die Gerichtsansagen zur Folge hatte") einschloß, enthält ja doch wohl einen „impliziten" „heilsgeschichtlichen" Ansatz. Mußner scheint das auch mit dem Schlußsatz: „Dabei hoffen wir, daß unsere Hinweise die Bedeutung des Problems sowohl für die Leben-Jesu-Forschung als auch für die Christologie (und Ekklesiologie) genügend ins Bewußtsein bringen konnten" (250) andeuten zu wollen. *Gräßer,* Naherwartung 55–66, bietet eine informative Darstellung des heilsgeschichtlichen Entwurfs von O. Cullmann. Dort auch eine kurze Stellungnahme zu dem Verhältnis Jesu zur „Heilsgeschichte". Nach einer zustimmenden Bemerkung zu der zeitorientierten Verkündigung bei Paulus und bei Lukas folgt eine Einschränkung für die Jesusverkündigung. Gräßer fährt dann fort: „Damit ist nicht bestritten, daß der Gedanke einer Spannung zwischen schon verwirklichter Erfüllung und noch ausstehendem Gottesreich ein konstitutives Element bereits der Erwartung Jesu war und daß damit tatsächlich der ‚Ansatz zu heilsgeschichtlicher Betrachtung der Zeit' gegeben ist, den Paulus auf seine und Lukas wieder auf andere Weise wahrgenommen und ausgebaut haben" (62f).

Gräßer weist mit Recht darauf hin, daß das Kreuz ein entscheidender Bruch gewesen ist. Aber impliziert die Identität des Irdischen und des Auferstandenen und Erhöhten nicht auch die reale Gegenwart der zukünftigen Gottesherrschaft im Wort und Wirken Jesu und damit auch einen Fortgang jener Heilsgeschichte über den Tod Jesu hinaus?

Tatbestand ist für W. G. Kümmel Anlaß zu der Feststellung, daß es „ohne Heilsgeschichte nicht geht"[11].

Es ist auch nicht so, daß sich bei Lukas infolge der gedehnten Zeit „die *heilsgeschichtliche Konzeption als solche verändert* habe oder daß überhaupt erst dann *von Heilsgeschichte geredet werden könne* (etwa erst bei Lukas), wenn die Dauer der Zwischenzeit nicht mehr überschaubar gesehen sei, während vorher mit jener Begrenzung implizit alle Heilsgeschichte ausgeschlossen werde. Dies wäre nur dann richtig, wenn Heilsgeschichte und Geschichte identisch wären"[12]. Lukas steht mit seiner durchreflektierten heilsgeschichtlichen Konzeption nicht im Gegensatz zu einer angeblich streng eschatologischen Verkündigung Jesu, er hat vielmehr die Ereignisse von Auferstehung und Parusie, die in der prophetischen Schau Jesu sachlich zwar voneinander verschieden, aber in der zeitlichen Perspektive verkürzt dargestellt sind, voneinander getrennt und als tragende Pfeiler der Heilsgeschichte dargestellt. Wenn wir so in der längeren Dehnung der Zwischenzeit noch keinen sachlichen Bruch zu der Heilskonzeption Jesu zu erkennen vermögen, so soll nicht übersehen werden, daß der Faktor Zeit natürlich auch die Qualität der Eschatologie bedrohen kann und daß in dem Maße, wie das „Schon jetzt" des Heils nicht mehr ernst genommen wurde, das „Noch nicht" in Vergessenheit geriet oder „zu einem bloßen Anhängsel der Heilsgeschichte degradiert wurde"[13]. Lukas ist dieser Gefahr indes nicht erlegen. Gerade wegen der resoluten Zuwendung zu den Weltproblemen sind ja die eschatologischen „Signale" in seinen Entwurf eingebaut worden, die die Erwartung wachhalten sollen. Trotz der Unbestimmtheit des Endes ist die Aufforderung zur Stetsbereitschaft ein nicht zu übersehender Hinweis auf das Kommende.

---

[11] *Kümmel,* Heilsgeschichte 457.
[12] *Cullmann,* Heil als Geschichte 216.
[13] *Cullmann,* Heil als Geschichte 217.

1.2: HAT LUKAS DIE TRADITIONELLE ESCHATOLOGISCHE VERKÜNDIGUNG VERDRÄNGT ODER KONSEQUENT UMGEARBEITET?

Die Antwort auf diese Frage kann erst nach einer Überprüfung der 8 Thesen des mit dem Namen Conzelmann verbundenen Denkmodells gegeben werden.

1.2.1 Zu These 1: Stetsbereitschaft statt Naherwartung

Daß Lukas wegen der Ungewißheit über den Zeitpunkt des Endes zur ständigen Wachsamkeit aufgerufen hat, ist unbestritten. Gegen eine einheitliche und wohlüberlegte Konzeption der hinausgeschobenen Eschatologie sprechen jedoch einige Texte, welche mehr oder weniger deutlich an der Naherwartung festhalten. Was Lukas damit bezweckt, wird sich zeigen.

a) Lk 3,9.17

Lk 3,9: „Schon ist die Axt nämlich an die Wurzel der Bäume gelegt. Jeder Baum nun, der nicht gute Frucht hervorbringt, wird ausgehauen und ins Feuer geworfen."

Lk 3,17: „In seiner Hand liegt die Schaufel, seine Tenne zu reinigen und den Weizen in seine Scheune zusammenzubringen, die Spreu aber wird er verbrennen in unlöschbarem Feuer."

Der Spruch von der Axt, der das Moment des Bedrohlichen in einem plastischen Bild ausdrückt – „schon ist die Axt wägend und messend angelegt"[1] –, stimmt bis auf ein vor „die Axt" (ἡ ἀξίνη) von Lukas eingeschobenes „und" (καί) mit Mt 3,10 wörtlich überein. Derselbe literarische Befund gilt auch für Lk 3,17 = Mt 3,12. Lukas hat die Parallelkonstruktion Mt 3,12: „und er wird säubern und sammeln" (καὶ διακαθαριεῖ ... καὶ συνάξει), „die semitischem Stil entspricht, ... aus stilistischen Gründen in den Infinitiv der Absicht"[2] abgeändert. Das Pronomen „sein" (αὐτοῦ), das Mattäus

---

[1] *Schürmann*, Lukas 166.

[2] *Hoffmann*, Studien 19. Die Vermutung von *Schneider*, Lukas 87, die Scheidung zwischen Sammlung und Verbrennung habe sich aus der Übertragung apokalyptischer Bilder auf die innergeschichtlichen Vorgänge des Pfingstereignisses und der Zerstörung der Stadt Jerusalem ergeben, ist unbegründet.

mit „Weizen" (τὸν σῖτον) verbindet, ist bei Lukas mit „Scheune" (ἀποθήκη) verbunden worden. Vielleicht wollte Lukas glätten,[3] es ist aber ebensogut auch denkbar, daß Mattäus allegorisiert hat.[4] Die Beobachtungen zu Lk 3,9 und 3,17 sind ein relativ sicheres Indiz für die sprachliche und thematische Beständigkeit und Konstanz der Aussage auf dem Wege von der Q-Vorlage zur redaktionellen Verarbeitung. Johannes der Täufer spricht von der Nähe des Gerichtes. Das Bild vom Feuer, das in beiden Sprüchen verwendet wird, ist durch das Logion von der Feuertaufe (3,16) thematisch abgerundet und angewendet. Johannes konnte das Bildmaterial der prophetischen Tradition des Alten Testamentes entnehmen,[5] er hat es freilich selbständig verarbeitet und seiner Gerichtspredigt angepaßt. Der Tenor ist etwa folgender: Israel steht wegen seiner veräußerlichten Religionsauffassung unter der Androhung des Gerichtes. Die auffällige Reserve gegenüber allen apokalyptischen Ausmalungen und Verdeutlichungen muß in Beziehung gesetzt werden zu dem souveränen Handeln des Richters; Berechnungen und Vorwarnungen sind nicht möglich. Das Ereignis kommt bald und plötzlich. Es gibt nur eine Möglichkeit, dem kommenden Unheil zu entrinnen: Taufe und Umkehr. Die Hörer der Täuferbotschaft sollen erkennen, daß es letzte Stunde ist.[6]

Wie hat Lukas nun diese traditionellen Verkündigungsstücke verarbeitet? Der Sonderguteinschub 3,10–14, der an drei konkreten Beispielen die Früchte der Buße nennt, wie auch der 3,12 verwendete Lehrertitel geben ein variiertes Täuferbild zu erkennen: Johannes ist zum Tugendprediger „degradiert" worden. Möglicherweise zeigen sich hier Einflüsse des Hellenismus, welche die ursprüngliche

---

[3] *A. v. Harnack,* Sprüche und Reden Jesu. Die zweite Quelle des Matthäus und Lukas (Beiträge zur Einleitung in das Neue Testament II), Leipzig 1907, 7.

[4] *Hoffmann,* Studien 19.

[5] a) Das Verbrennen der nutzlosen Ernteüberreste: Jes 5,24; 10,17; 47,14; Obd 18; Nah 1,10; Mal 3,19;
b) das Bild vom Waldbrand: Jes 10,18f; Jer 21,14; 22,7; Ez 21,2f; Sach 11,1f;
c) Das Bild vom Metallschmelzer: Jes 1,24ff

[6] Zur Erklärung der Täuferbotschaft vgl. *Becker,* Johannes der Täufer, 27–32.

eschatologische Dimension verzerrt wiedergeben.[7] Aber nicht die Neuzeichnung des Täuferbildes ist das Auffällige, sondern die Tatsache, daß die Tradition nicht aufgegeben, sondern im Gegenteil unverkürzt beibehalten worden ist.[8] Das Bild von der Axt und das von der Wurfschaufel sind gegenüber der Q-Vorlage sprachlich nur geringfügig verändert. Das eingeschobene Predigtstück setzt zwar neue Akzente, es ist auch nicht zu verkennen, daß in der weiteren Darstellung des Evangeliums das Verhältnis des Täufers zu Elija anders gesehen worden ist.[9] Der Täufer wird nicht, wie Mt 11,12–14, mit Elija identifiziert, „Elija ist der Typ des Gottesmannes, dessen Bild in die Jesusdarstellung eingegangen ist . . . Die Eschatologie ist zu einer Funktion der Christologie geworden"[10]. Daß Lukas die herkömmliche Eschatologie nicht aus dem Auge verloren hat, zeigt die Treue gegenüber der Tradition. Es führt auch nicht viel weiter, wenn man die „störenden" Gerichtstexte auf die Nähe des Messias [11] oder auf das geschichtliche Strafgericht über Jerusalem[12] bezieht. Warum hat Lukas dieses nicht unmißverständlicher ausgesprochen?

---

[7] *Becker,* aaO. 56: „Lukas hat an solchen Aussagen Interesse, um das gute Verhältnis des Christentums und seiner Ursprünge zu Staat und Gesellschaft hervorzukehren". Die Berührungen mit dem Täuferbild des Flavius Josephus müssen bedacht werden.

[8] *Schürmann,* Lukas 179, versteht die Täuferpredigt als „Taufansprache", die „von der Praxis urchristlicher Taufunterweisung beeinflußt" ist. Aber muß das schon besagen, daß der eschatologische Gedanke damit getilgt ist (vgl. *Schneider,* Parusiegleichnisse 48 Anm. 6)?

[9] Vgl. *Ernst,* Lukas 148–150.

[10] *Ernst,* aaO. 149.

[11] Vgl. hierzu die Ansicht von *Conzelmann,* Mitte 93: „Dabei ist die Gerichtsdrohung nunmehr unabhängig vom – nahen oder fernen – *Zeitpunkt* des Gerichts. Nicht die Nähe des *Gerichtes* ruft Johannes aus, sondern die Nähe des *Messias*". Ähnlich *Gräßer,* Parusieverzögerung 187 Anm. 1: „Lukas kann Traditionsgut unverändert übernehmen".

[12] So *Schneider,* Parusiegleichnisse 47–49. – Der Verweis auf Lk 12,57–59 überzeugt nicht, da auch hier keinesfalls das „geschichtliche Strafgericht" anvisiert ist, sondern das Endgericht. Lukas hat in der Tat das Volk (3,7: ὄχλος; 3,15: λαός) als Adressat der Drohrede herausgestellt, aber daß das Schicksal des „Heilsvolkes" von Lukas von den Endereignissen auf die historische Katastrophe des Jahres 70 verlagert sein soll, bleibt eben eine Vermutung, die zu beweisen wäre. Richtig *Wilson,* Lukan

Lukas hat die Drohrede des Täufers keineswegs historisiert, das Auffällige ist vielmehr das Festhalten an überlieferten Endzeitstücken. Wir wissen nicht mehr, aus welchen Gründen er sich derart verhalten hat. Wir können nur feststellen, daß er es getan hat.

b) Lk 10,9.11

Lk 10,9: „und heilt, die in ihr krank (sind), und sagt ihnen: gekommen ist zu euch das Reich Gottes."

Lk 10,11: „. . . Aber dieses sollt ihr wissen: gekommen ist das Reich Gottes."

Die beiden Sprüche gehören zu der aus Q stammenden zweiten Aussendungsrede des 3. Evangeliums. Es ist nicht erforderlich, die traditionsgeschichtlichen Hintergründe der Rede in allen Einzelheiten aufzuzeigen,[13] wir fragen 1. nach der Bedeutung des traditionellen Wortes (vor Lukas und wohl auch vor Q) und 2. nach der lukanischen Interpretation des Logions.

1. Die beherrschende Mitte beider Sätze ist die Feststellung: „gekommen ist (zu euch) das Reich Gottes" (ἤγγικεν [ἐφ' ὑμᾶς] ἡ βασιλεία τοῦ θεοῦ). Der Streit um „zukünftige Eschatologie" oder „gegenwärtige Eschatologie" hat sich in der Hauptsache auf die Deutung des Satzprädikates ἤγγικεν zugespitzt.

Eschatology 331: "The use of ἤδη in III. 9 and the tenses of the verbs in III.17 show that John's teaching was motivated by the threat of an imminent judgement; and the substance of III.17 makes it clear that Conzelmann's attempt to differentiate between the coming of the Messiah and the coming of Judgement is misleading. Further, the use of εὐαγγελίζεσθαι in III.18 does not, as Conzelmann thinks, merely mean that John exhorted the people with moral homilies. It has strong overtones of eschatological proclamation, as the twenty-five occurences of the verb in Lk.-Acts show. Also, the fact that Luke has no equivalent to Matt. III.2, where John proclaims the Kingdom, is significant only if the verse, was in ‚Q' and Luke omitted it, which we have no means of telling."

[13] Vgl. *Ernst,* Lukas 329–331; *Hoffmann,* Studien 272–276; *Schulz,* Spruchquelle 404ff; *Manson,* Sayings 73f; *Roloff,* Apostolat 151 Anm. 53. *Lührmann,* Logienquelle 59–68, rechnet beide Verse zu Q; eine komplizierte Wachstumsgeschichte (Lk 10,3.4.5–7 = eigene Quelle des Lukas, die erst sekundär in Q mit den Einheiten Lk 10,1; Mt 10,5b–6; 10,8–12 zusammengewachsen sei) nimmt *Schürmann,* Aussendungsbericht 147f, an.

Den Anstoß gab C. H. Dodd,[14] der die präsentische Bedeutung unter Berufung auf die Verwendung des Begriffs „herankommen" (ἐγγίζειν) in der LXX und die dort vorauszusetzenden hebräischen (naga') und aramäischen (m'ta) Äquivalente, die beide im Sinne von „erreichen" (to reach) oder „ankommen" (to arrive) zu verstehen sind, zu begründen suchte. Dodd sieht diese Ansicht bestätigt durch das Wort φθάνειν, das in der LXX neben ἐγγίζειν für die genannten hebräischen bzw. aramäischen Vorlagen verwendet wird und das in vergleichbaren neutestamentlichen Aussagen (Mt 12,28; Lk 11,20) gegen ἐγγίζειν ausgewechselt zu sein scheint. Die Schlußfolgerung lautet: „With an eye on the presumed Aramaic original, we should translate both: ‚The Kingdom of God has come'"[15].

Für unsere Stelle Lk 10,9.11 wird in Anlehnung an TestDan 5,13–6,4 eine Beziehung zwischen Gekommensein der Gottesherrschaft und der Überwindung der Satansherrschaft gesehen (vgl. Lk 11,20 par: „wenn ich aber mit dem Finger Gottes die Dämonen austreibe, dann ist zu euch gekommen das Reich Gottes" [εἰ δὲ ἐν δακτύλῳ θεοῦ ἐκβάλλω τὰ δαιμόνια, ἄρα ἔφθασεν ἐφ᾽ ὑμᾶς ἡ βασιλεία τοῦ θεοῦ]). "In some way the Kingdom of God has come with Jesus Himself, and that Kingdom is proclaimed, 'whether they will hear or whether they will forbear', as Ezekiel might have said"[16].

W. G. Kümmel kommt in seiner Auseinandersetzung mit Dodd zu dem gegenteiligen Ergebnis: das Verbum ἐγγίζειν hat in der Profangräzität, in der LXX und auch im Neuen Testament den Sinn von „nahekommen". Die wenigen Ausnahmen in der LXX würden die allgemeine Regel bestätigen.

Angesichts der ergebnislos verlaufenen Diskussion darf die Frage gestellt werden, ob man allein mit den Mitteln der Philologie das Problem bewältigen kann.[17] Davon soll noch die Rede sein.

---

14 *Dodd*, The Parables of the Kingdom.
15 *Dodd*, The Parables 44.
16 *Dodd*, The Parables 45f. Für diese präsentische Interpretation auch *M. Black*, The Kingdom of God has come: The Expository Times 64 (1952) 289f. Bestätigt wurde diese Auffassung ferner von *W. R. Hutton*, The Kingdom of God has come: The Expository Times 64 (1952) 89–91. Hier allerdings unter Zugrundelegung des gesamten lexikographischen Befundes des Wortes ἐγγίζειν. Weitere Vertreter dieser Auffassung werden genannt bei *Kümmel*, Verheißung 17 Anm. 13.
17 Vgl. die vorsichtige Feststellung von W. R. Hutton, The Kingdom of God 91: "The use of his second meaning will also make the situation

Zuvor muß 2. nach dem Sinn des Doppellogions bei Lukas gefragt werden. Das „zu euch" (ἐφ' ὑμᾶς) Lk 10,9 ist Anlaß zu der Vermutung, Lukas spreche hier vom „Wesen" des zu den Jüngern Jesu bzw. zu den Adressaten des Lukasevangeliums gekommenen Gottesreiches. An die Stelle des zukünftigen Ereignisses der Gottesherrschaft sei also das gegenwärtige (in der Kirche) erfahrbar gewordene Reich Gottes getreten.[18] Daß die in Frage stehende Wendung indes nicht für eine spezifisch lukanische Theologie herangezogen werden darf, zeigt die verwandte Stelle Mt 12,28 = Lk 11,20: „. . . ist zu euch gekommen das Reich Gottes" (ἔφθασεν ἐφ' ὑμᾶς ἡ βασιλεία τοῦ θεοῦ).[19] Man könnte mit W. G. Kümmel[20] die Frage stellen, ob beide Stellen nicht übereinstimmend das „bald" betonen wollen. Aber dieser Gedanke wird ja gerade nicht deutlich genug ausgesprochen. Bedenkenswert ist ein exklusives Verständnis des „zu euch" (ἐφ' ὑμᾶς) im Sinne von „nur zu euch, nicht aber zu den anderen". Die Herrschaft Gottes ist zukünftig, aber sie leuchtet jetzt schon „bei euch" zeichenhaft auf im Wirken Jesu. Diese Deutung erkennt richtig in der persönlichen Reich-Gottes-Erfahrung die entscheidende Mitte der Aussage. Vielleicht kann man im Ruf zur Buße, der sich möglicherweise von dem prophetischen Gerichtswort V. 12 her auch für das lukanische „gekommen ist das Reich

---

much clearer in many cases, and if it does not make Dr. Dodd's translation of 'The Kingdom of God has come' certain it will at least force the arguments to be on other than lexicographical ground."

[18] *Gräßer*, Parusieverzögerung 140f: „Dieses ἐφ' ὑμᾶς bei ἤγγικεν lenkt den Blick von der Künftigkeit des Reiches auf das gegenwärtige Wesen, das sich eben in der heilenden und friedbringenden Arbeit der Missionare kundtut". So auch *Conzelmann*, Mitte 98 Anm. 1, der allerdings an anderer Stelle (aaO. 98) die Zukünftigkeit nicht ausschließt.

[19] *Hoffmann*, Studien 275, hält es für wahrscheinlich, daß Lukas mit dem „ausdrückliche(n) Bezug auf die Angesprochenen" die ursprünglichere Fassung des Logions bewahrt habe. Das „zu euch" (ἐφ' ὑμᾶς) könne also gerade nicht für die angebliche Enteschatologisierungstendenz des Lukas in Anspruch genommen werden.

[20] *Kümmel*, Einleitung 112: Lk 10,11 ist, da redaktionell, für den Aussagewillen des Textes besonders wichtig. „. . . der Hinweis auf das Schicksal Sodoms *,an jenem Tage',* d h am Gerichtstag, im folgenden Verse 10,12 beweist, daß Lukas die Nähe der Gottesherrschaft hier nicht als Gegenwart, sondern als bedrohliche Zukunft verstanden haben muß".

Gottes" (V. 11) – ein letztes „Zeugnis von der entscheidenden Größe der Weltstunde"[21] – aufdrängt, die spezifische Form der Gottes-
reicherfahrung erkennen. Ohne ausdrücklichen Hinweis auf das
Reich Gottes, aber als wesentlicher Bestand der Jesuspredigt, ist dieser Sachverhalt mehrfach bei Lukas überliefert: 3,7–9 (der Bußruf
des Täufers); 13,6–9: das Gleichnis vom Feigenbaum und öfter.[22]
R. Otto[23] hat in den Logien vom Gekommensein des Gottesreiches
eine paradoxe, auf einen Verblüffungseffekt abhebende Intention
erkennen wollen. „Es (das Logion) will den Dogmatismus der fer-
tigen Eschatologie erschüttern und seinen zu engen Rahmen sprengen. Jesus weiß wie seine Gegner von dem *künftigen* Reich, und daß
es kommen *wird* und daß sich Gott seine Stunde vorbehält und daß
man in ständiger Wachsamkeit sich dafür bereitzuhalten hat und
daß man sorgfältig achthaben soll, sobald die Anzeichen seines
Kommens eintreten, und daß man dann wissen soll, daß es nahe ist,
und alles das bezieht sich auf das *künftige* Reich. Das war der eine Pol
seiner Reichs-idee. Der andere aber war der, daß im vorwirkenden
Geheimnis das Reich schon sich regt und so schon da ist. Zwischen
beiden Polen gleicht Jesus nicht aus, und er vermittelt das Entge-
gengesetzte nicht, so wenig wie er sonst die starken inneren Span-
nungen seiner Lehre ausgleicht und vermittelt".
Es wäre genauer zu prüfen, ob die Aussage nicht durch den Bezug auf
die Person Jesu einen neuen, mit den Mitteln der Sprachwissenschaft
allein nicht mehr zu erfassenden Horizont erhalten hat. Hier haben
die spekulativen Überlegungen von E. Jüngel[24] ihre Berechtigung:
„Ihm (Jesus) war die Nähe Gottes näher noch, so daß der auch von
ihm bevorzugte *zeitliche* Ausdruck dieser Nähe zugleich *personal*
interpretiert werden muß. Jesus *glaubte* an die Nähe Gottes. Das war
mehr als Hoffnung auf etwas Kommendes. Wer das Kommende
ankommen sieht, braucht nicht mehr darauf zu hoffen. Er ist gewiß.
Jesus, so wird man sagen dürfen, war sich der Nähe Gottes gewisser als

---

21 *Hauck,* Lukas 140.
22 *Merk,* Reich Gottes 213.
23 *Otto,* Reich Gottes 103.
24 E. *Jüngel,* Tod (Themen der Theologie 8), Stuttgart–Berlin 1971, 129;
   vgl. auch E. *Fuchs,* Zur Frage nach dem historischen Jesus. Gesammelte
   Aufsätze II. Tübingen ²1965, 326 u. ö.

seiner selbst. Er wußte sich selbst ganz und gar von der Nähe der Gottesherrschaft bestimmt, ohne dabei seiner Welt auch nur im geringsten untreu zu werden. Dieses personale Bestimmtsein überbot die zeitliche Differenz zwischen ‚Schon jetzt‘ und ‚Noch nicht‘ in einer nicht zeitlichen Weise, also ohne die zeitliche Differenz einfach aufzuheben".

Das Reich Gottes ist wie Jesus selbst gegenwärtig und zukünftig in eins. „Die zur Mission ausgesandten Boten künden in Worten und Zeichen das Ankommen der Gottesherrschaft (Lk 10,9), die im Auftreten Jesu erfahrbar geworden ist."[25]

Die Zukünftigkeit des gegenwärtigen Gottesreiches, oder sagen wir besser: der Heilsvollendung im korporativen und personalen Ver-

---

[25] *Grundmann,* Lukas 210. Vgl. *Ernst,* Lukas 334. *Otto,* Reich Gottes 75: „Nicht Jesus ‚bringt‘ das Reich – eine Vorstellung die Jesu selber ganz fremd ist – sondern das Reich bringt ihn mit". Vgl. auch *Schürmann,* Das hermeneutische Hauptproblem 13–35, bes. 33 Anm. 105: „Jesus ist, zum ‚konstitutiven Faktor in der Eschatologie geworden‘". Schürmann kritisiert zu Recht H. Conzelmann, daß er „die Bedeutsamkeit des ‚Da-Seins‘ Jesu auf die verbale Reichsansage reduziert. Jesu Reichsansage wäre aber unbegründet, wenn sie nicht in seinem Gekommen-Sein und Da-Sein ihre Legitimation hätte". Die bedenkenswerten Einwände von *A. Vögtle,* „Theo-logie" und „Eschato-logie" in der Verkündigung Jesu?, in: Neues Testament und Kirche. Festschrift R. Schnackenburg, Freiburg–Basel–Wien o. J. (1974), 371–398, die Gottesreichverkündigung Jesu könne nicht auf das exegetisch umstrittene Sohn-Bewußtsein zurückgeführt werden, berücksichtigen zu wenig den indirekten Sohn-Anspruch und das Sendungsbewußtsein Jesu. Lukas gebraucht statt der johanneischen „ich bin gekommen" (ἦλθον)-Aussage „Sendungsworte": Lk 4,18: „frohe Botschaft zu bringen den Armen, hat er mich gesandt" (Zitat Jes 61,1); 4,43: „... auch den anderen Städten muß ich das Reich Gottes verkünden, denn dazu bin ich gesandt" (vgl. Mk 1,38: „denn dazu bin ich ausgegangen [ἐξῆλθον])". Lk 9,48: „Und wer mich aufnimmt, der nimmt den auf, der mich gesandt hat" (vgl. Mk 9,37); Lk 10,16: „Wer aber mich nicht achtet, achtet den nicht, der mich gesandt hat" (vgl. Mt 10,40). Der Begriff wird Apg 3,26 (Sendung des Knechtes, den Gott hat „erstehen" lassen [ἀναστήσας]); Apg 3,20 (in eschatologischem Zusammenhang); Apg 10,36; 13,26; 28,28 (von der Botschaft) verwendet. Lukas übernimmt eine geläufige Vorstellung, er gibt ihr jedoch eine spezifische Akzentuierung. „Jesu Wirken beruht auf einer ‚Sendung‘ ..., die nicht erzählt wird noch erzählt werden kann ... Denn nach luk Verständnis hat solche ‚Sendung‘ nicht –

ständnis, ist sichergestellt durch jene futurischen Menschen-
sohnaussagen, die nach dem Verständnis von W. G. Kümmel[26]
zeigen, „daß Jesus die Gegenwart nicht nur in dem Sinne mit der
erwarteten Zukunft verbindet, daß der eschatologische Gerichtstag
den Menschen beurteilt nach seiner Stellungnahme zur gegenwärtigen Gestalt Jesu, sondern auch in dem Sinne, daß es derselbe Jesus

---

wie bei Is – ihren Grund in der Geistsalbung von 3,21f, sondern liegt solcher Ausrüstung voraus; . . . Jesus ‚kommt' aus dem Geheimnis Gottes,
wie mehr angedeutet als ausgesagt wird; die in die Tiefe offenen Aussagen von 1,32f.35; 2,11.14.29–32 werden hier aufklingen sollen" *(Schürmann,* Lukas 230).

[26] *Kümmel,* Verheißung 33. *Thüsing,* Erhöhungsvorstellung 92: „Es ist wohl
schon in der Verkündigung Jesu vorgegeben, daß dieser Titel (der Menschensohn) zwar vorwiegend den Kommenden bezeichnet, aber auch auf
den gegenwärtig Wirkenden angewendet wird; so liegt es nahe zu
vermuten, daß nicht nur die futurischen Menschensohnworte, sondern
auch die das gegenwärtige Wirken anzeigenden nachösterlich ‚transfor-
miert' worden sind".
Es wäre sicher lohnend, die Beziehung zwischen der Basileia-Verkündigung und dem Menschensohntitel noch genauer zu bedenken. Vgl. hierzu die Ausführungen von *H. E. Tödt,* Der Menschensohn in der synoptischen Überlieferung, Gütersloh o. J. (1963), 298–316, in Auseinandersetzung mit *Vielhauer,* Gottesreich und Menschensohn 51–79. Ähnlich
wie Tödt auch *Hahn,* Hoheitstitel 30. *Tödt* verteidigt die Ursprünglichkeit von eschatologischen Menschensohnworten, die von Vielhauer alle-
samt als Gemeindebildung verstanden werden und bestreitet die von
Vielhauer behauptete Unvereinbarkeit von Reich-Gottes- und Men-
schensohnverkündigung. „Die inhaltliche und strukturelle Parallelität
der Aussagen von der Gottesherrschaft und vom Kommen des Menschensohnes ist also so erheblich, daß wir auch aus diesem Grund beide
Aussagegruppen nebeneinander der Verkündigung Jesu zusprechen
müssen" (314). Tödt geht sogar so weit, mit Vielhauer von einem
„Ineinander von Zukunfts- und Gegenwartsaussagen", „das das Zeitsche-
ma der Äonenlehre sprengt", zu sprechen (314). Er bestreitet dagegen die
Identität von Person und Inhalt der Botschaft. Ähnlich auch *G. Bornkamm,* Jesus von Nazareth (Urban-Bücher 19), Stuttgart [6]1963, 62:
„Er selbst in seiner Person ersetzt und verdrängt nicht, was einziger Inhalt seiner Botschaft bleibt, die Herrschaft Gottes". Man wird jedoch,
ohne für Jesus oder für die synoptische Tradition die Autobasileia
postulieren zu wollen, eine tiefergehende Beziehung zwischen der
Botschaft und dem Boten voraussetzen dürfen, als es ein einseitig
prophetisches Jesusbild gestattet.

ist, zu dem der Mensch in der Gegenwart Stellung zu beziehen hat und vor dem er sich einst verantworten muß". Lukas hat das „ist gekommen" (ἤγγικεν) auf den jetzt in Zeichen und Worten schon gegenwärtigen, aber in der Zukunft der Basileia sich offenbarenden Christus bezogen.

c) Lk 18,7f

„Und Gott sollte nicht seinen Auserwählten Recht verschaffen, die zu ihm Tag und Nacht rufen? Und er wird zögern ihnen gegenüber? Ich sage euch: er wird ihnen in Kürze Recht verschaffen. Aber, wird der Menschensohn, wenn er kommt, den Glauben auf Erden finden?"

Diese Verse 7f gehören zu dem „zugewachsenen Abschluß des Sondergut-Gleichnisses vom gottlosen Richter und von der Witwe. Die Traditionsgeschichte[27] ist schwer zu durchschauen. R. Bultmann[28] sieht in V. 1–5 das eigentliche Gleichnis; V. 6–8 seien sekundärer Zusatz, von dem V. 8b als weiterer ergänzender Nachtrag abgehoben werden müsse.

Vermutlich gehören V. 7 und 8a zusammen: Gott zögert zwar, aber er wird „in Kürze" Recht verschaffen. V. 8b wendet sich kritisch an die Gemeinde und fragt nach der geforderten Bereitschaft.[29]

V. 7a bietet die Pointe der Erzählung: wenn schon der gottlose Rich-

---

[27] Vgl. *Ernst*, Lukas 492; *Schneider*, Parusiegleichnisse 71–78.

[28] *Bultmann*, Geschichte 189. Für die Einheitlichkeit entscheiden sich: *Kümmel*, Verheißung 52 und *Jeremias*, Gleichnisse 133–136. Neuerdings *D. R. Catchpole*, The Son of Man's Search for faith (Luke XVIII 8b): NT XIX (1977) 81–104. *W. L. Knox*, The Sources of the Synoptic Gospels II. St Luke & St Matthew, Cambridge 1957, 112f, hält V. 6.7 für die spätere Redaktion eines ursprünglichen Schlusses, V. 8 sei ein isoliertes Jesuslogion. In welchem Maße die literarkritische Frage mit theologischen Vorentscheidungen zusammenhängt, zeigt *Gräßer*, Naherwartung 106 Anm. 269, der ein auf Naherwartung abgestelltes ursprüngliches Gleichnis ausschließt, um zu einer in sich geschlossenen Aussage der Gemeinde über die Parusieverzögerung zu kommen. V. 7.8a seien dann ein „Trostwort infolge der ausgebliebenen Parusie, aber kaum eine Weissagung Jesu, mit der er auf die Zeit seiner Trennung von den Jüngern vorausblickt".

[29] *Gräßer*, Naherwartung 108f, ist im Recht, wenn er V. 8b Jesus abspricht – die sprachlichen Indizien (107 Anm. 271) sind m. E. zwingend; die pessimistische Zukunftsschau paßt nicht in das Jesusbild –, es ist auch nicht zu bestreiten, daß sich Fragestellungen der Kirche in den Vor-

ter sich bewegen läßt durch inständiges Bitten, um wieviel mehr dann Gott selber, der unser Vater ist! V. 7b bereitet wegen seiner grammatischen Konstruktion und wegen des unbestimmten Ausdrucks μακροθυμεῖν (zögern?; geduldig warten?) einige Schwierigkeiten. J. Jeremias[30] möchte V. 7b als Relativsatz, der das geduldige Hinhören Gottes auf das unermüdliche Rufen seiner „Auserwählten" verdeutlichen soll, verstehen.

Die zuerst von H. Riesenfeld[31] und nach ihm auch von G. Schneider[32] vertretene Auffassung, der Zusatz V. 7b wolle das Problem der Parusieverzögerung (μακροθυμεῖν = zögern) mit einer nachdrücklichen Zusicherung der göttlichen Hilfe bewältigen, trägt das für die Deutung entscheidende „trotz" (der augenscheinlichen Verzögerung) erst in den Text ein. Am einfachsten erklärt sich der Satz als Doppelfrage, welche im ersten Teil die Antwort „natürlich ja" und im zweiten Teil „selbstverständlich nicht" erwarten läßt. Es geht also gerade nicht um die Bewältigung des Verzögerungsproblems durch das tröstende „schließlich doch", sondern um die Zusage der Gebetserhörung. Derselbe Gedanke wird mit der feierlichen Zusage in Form einer kategorischen Feststellung unterstrichen: „Gott wird in Kürze helfen". Der Ausdruck „in Kürze" will kaum als Gegenstück zu dem angeblichen Verzögerungsmotiv von V. 7b gedeutet werden,[33] er unterstreicht lediglich noch einmal mit Nachdruck die Gebetserhörung. Ein Zeitmaß im Sinne von „sofort" oder „plötzlich" ist kaum intendiert. Der Spruch gibt also genausowenig etwas her für eine immer noch vorhandene Naherwar-

---

dergrund geschoben haben. Aber auf eine *lange* (positive) Zwischenzeit, die als Gegensatz zu der negativen Wartezeit der frühesten Parusieerwartung verstanden werden müsse, deutet nichts hin.

[30] *Jeremias,* Gleichnisse 15.

[31] *Riesenfeld,* Zu μακροθυμεῖν 214–217.

[32] *Schneider,* Parusiegleichnisse 73.

[33] *Schneider,* Parusiegleichnisse 75: „Sagten das Gleichnis und seine erste Deutung die Gewißheit der Erhörung trotz des Eindrucks längeren vergeblichen Bittens zu, so wird durch die Addition ein (weiteres) Zögern Gottes verneint und eine baldige Erhörung versprochen. Offensichtlich wird also an der Naherwartung trotz einer Verzögerungserfahrung festgehalten. Dem könnte dann Lukas mit der Zufügung von Vers 8 b einen ‚Dämpfer' aufgesetzt haben".

tung,[34] wie V. 7b sich für die Parusieverzögerung[35] verwenden läßt. Beide Aussagen stehen vielmehr unter einem einheitlichen Gedanken: Gott ist treu, Gott steht zu seinen Zusagen.[36]

Die abschließende Frage nach dem Glauben bei der Wiederkunft des Menschensohnes ist ein weiterer Zusatz, der Redaktor Lukas[37] dreht mit dieser Bemerkung den „Spieß gegen die Auserwählten, die Tag und Nacht um Hilfe schreien"[38]. Damit sind sie, die bittenden Christen, daran erinnert, daß es zunächst und an erster Stelle auf sie selbst ankommt. Lukas hat auf diese Weise das Gleichnis für die Paränese „in Dienst genommen". Die Mahnung zu Wachsamkeit und Ausdauer und die Warnung vor Müdigkeit, die in der Aufforderung zum ständigen und unermüdlichen Gebet (V. 1) schon angeklungen ist, ist über das Gleichnis vom inständigen Gebet gestülpt worden. Ein Widerspruch zu der Naherwartung kann aus diesem Motiv kaum herausgehört werden.[39] Der Satz verliert sicher seinen

---

34 *Kümmel,* Verheißung 53, hält V. 6–8a für eine ursprüngliche, wenngleich spezielle Deutung des Gleichnisses. Die „Verheißung der Rechtschaffung durch Gott ἐν τάχει" müsse im Sinne der Naherwartung verstanden werden.

35 *Riesenfeld,* aaO.; *Schneider,* aaO. 73: „Wahrscheinlich ist also der ungeschickt angehängte καί-Satz nach Art einer Glosse der Gleichnisdeutung (VV. 6.7a) zugefügt worden. Der Zusatz will dem Gleichnis nicht nur die Zusicherung abgewinnen, daß Gott den Auserwählten mit Gewißheit ihr Recht verschaffen wird. Er betont auch, daß dies *trotz* der augenscheinlichen *Verzögerung* gilt. Dabei stützt sich der Zusatz auf das im Gleichnis selbst vorkommende anfängliche Zögern des bösen Richters (V. 4a)".

36 *Kümmel,* Verheißung 53, sieht in dem Spruch des Richters V. 5: „ich werde ihr Recht verschaffen" (ἐκδικήσω αὐτήν) einen metaphorischen Zug, der in der den Rufenden und Bittenden in Aussicht gestellten „Rechtverschaffung" (ἐκδίκησις) (V. 7) eine auf die aktuelle Situation bezogene Anwendung gefunden habe. Es empfiehlt sich in der Tat, Gleichnis und Anwendung einheitlich theonom zu verstehen. Der „Verzögerungsgedanke" hätte dann lediglich eine situationsunabhängige Abwehrfunktion: Gott zögert nicht, weil er zuverlässig ist. Die positive Antwort „in Kürze" (ἐν τάχει) will nicht terminieren, sondern das Verhalten Gottes qualifizieren.

37 Nach *Jeremias,* Gleichnisse 155 Anm. 2, eine traditionelle Vorlage.

38 *Gräßer,* Naherwartung 107.

39 Gegen *Conzelmann,* Mitte 116ff; *Gräßer,* Naherwartung 107f: „Es ist

andringlichen Ernst, wenn man aus ihm eine direkte Bezugnahme auf das Problem der Parusieverzögerung heraushören wollte, etwa in dem Sinne: die Christen sind der Parusie noch nicht wert, sie müssen noch mehr Glauben haben. „Lk macht vielmehr in einer eindrucksvollen Schlußformel (vgl. Lk 7,9.50; 8,48; 17,19; 18,42) deutlich, worauf es ankommt und was Wachsamkeit, Ausdauer und Beten miteinander verbindet."[40]

d) Lk 12,45f

„Wenn aber jener Knecht sagt in seinem Herzen: mein Herr läßt sich Zeit zu kommen, und er beginnt, die Knechte und Mägde zu schlagen, zu essen und zu trinken und trunken zu sein, dann wird der Herr jenes Knechtes an einem Tage kommen, an dem er es nicht erwartet, und in einer Stunde, die er nicht kennt, und er wird ihn in Stücke hauen und seinen Teil bei den Ungläubigen geben."

Die beiden Verse bilden nach dem Makarismus von V. 43f („Selig jener Knecht, den sein Herr bei seinem Kommen so handelnd finden wird. Wahrhaftig, ich sage euch: er wird ihn über alle seine Besitztümer setzen") die zweite, negativ formulierte Antwort auf die Frage des Gleichnisses vom Hausverwalter (12,41–46. Den Kern des Gleichnisses bildet V. 42: „Wer ist doch der treue Hausverwalter, der verständige, den der Herr setzen wird über seine Dienerschaft, ihr zu geben zur rechten Zeit die zugemessene Nahrung?"). G. Schneider[41] hat richtig gesehen, daß die „Frage . . . nach der positiven Antwort nicht auch eine negative (verlangt)", aber das ist noch kein ausrei-

---

längst erkannt, daß V. 7b mit der Umkehrung der Frage und V. 1 (daß man *alle* Zeit beten soll) lukanische Interpretamente sind, mit deren Hilfe Lukas den Skopos der Parabel (das *spezielle* Beten um das Kommen des Reiches) verschiebt auf die *allgemeine* Mahnung zu anhaltendem Gebet. Und zwar wird damit das Verhalten der Gemeinde in der Zwischenzeit charakterisiert".

[40] *Ernst,* Lukas 495.

[41] *Schneider,* Parusiegleichnisse 27, hält es für möglich, daß V. 45f mit dem Verzögerungsproblem erst sekundär hinzugewachsen sind. V. 45f zeigen tatsächlich allegorische Züge, es ist auch wahrscheinlich, daß Lukas in dem Herrn, der sich Zeit läßt (V. 45), Jesus erkennt. Anders *Jülicher,* Gleichnisreden II 150: „Lc 45 hat schwerlich Lc erst zugefügt, sondern aus der Quelle übernommen".

chendes Kriterium für die Eingrenzung des ursprünglichen Gleichnisses auf V. 42–44. J. Jeremias[42] sieht keinen Grund, V. 45–46 wegen
des Verzögerungsmotivs der Redaktion zuzuschreiben. Das ganze
Stück ist nach seiner Auffassung ein an die Adresse der jüdischen
Führer gerichteter letzter Appell. „Ihnen ruft Jesus zu, daß die Re-
chenschaftsforderung bevorstehe, bei der Gott prüfen wird, ob sie das
ihnen geschenkte Vertrauen gerechtfertigt oder mißbraucht haben".
Für unsere Überlegungen ist die Frage nach dem Umfang der Quelle
nur insofern von Bedeutung, als sich daraus Schlußfolgerungen auf
die redaktionellen Ergänzungen und Umarbeitungen und damit auch
auf den Aussagewillen des Lukas als Endredaktor ergeben.[43]
Man darf davon ausgehen, daß der Krisisgedanke, der für die Ur-
fassung möglicherweise allein bestimmend war,[44] auch von den verschiedenen Ergänzungen, die im Laufe der Wachstumsgeschichte
vorgenommen wurden, nicht verdeckt worden ist. Der Seligruf, verbunden mit der Lohnverheißung (V. 43f), steht im Zeichen der
immer noch nicht (trotz der in der Beziehung zwischen Hausverwalter   und   Dienerschaft   erkennbaren   „Weltsituation")
aufgegebenen Parusieerwartung. Daß sich dann der Verzögerungsgedanke stärker nach vorne geschoben hat,[45] ist nicht zu verkennen.
Aber man sollte sich doch davor hüten, das „mein Herr läßt sich Zeit

---

[42] *Jeremias,* Gleichnisse 55. Ähnlich auch *Dodd,* The Parables 158–160, bes.
160: "It (the Parable) had a sharp point directed to the actual situation.
When that situation had passed, the Church, naturally enough and
legitimately enough, re-applied it to their own different situation."

[43] Vgl. die Erarbeitung der hypothetischen Q-Vorlage bei *Schneider,* Parusiegleichnisse 25–27.

[44] *Jülicher,* Gleichnisreden II 161: „. . . möchte ich . . . als Urform ein rei-
nes Gleichnis vermuten, durch welches Jesus seine Jünger zu treuester
Erfüllung ihrer Pflichten *gegen Gott* anspornte, indem er ihnen die Be-
lohnung eines in hoher Vertrauensstellung von seinem Herrn zuverlässig erfundenen Sklaven und die ebenso schwere Bestrafung eines auf
schlechten Wegen ertappten schilderte, um sie aus diesen Fällen eine
Regel für ihr Verhalten entnehmen zu lassen".

[45] Und damit auch spezifische Welt- und Kirchenprobleme: V. 41 Petrus
wendet sich mit seiner Frage an die Gemeindeleiter in der Lukasgemeinde. Hierzu paßt der Ausdruck „Hausverwalter" (V. 42) und die Abände-
rung von „Mitknechte" (Mt 24,49) in „die Knechte und die Mägde" (V.
45). Das Zuteilen der „zugemessenen Nahrung" (V. 42) ist auf die

zu kommen" (V. 45), das ja bereits zur Q-Fassung gehörte (vgl. Mt 24,48), zum Leitmotiv der lukanischen Fassung zu machen.[46] Es geht vielmehr um die Zurechtweisung jener Leute in der Gemeinde des Lukas, die sich fälschlich einbilden, die Parusieerwartung sei überholt.[47] „Auf jeden Fall bezeugt die gesamte Einheit, wie sie in der Logienquelle vorlag, das Festhalten der Gemeinde an der Naherwartung der Parusie, und zwar *trotz* der Erfahrung einer *Verzögerung*."[48] Lukas hat zwar gegenüber seiner Vorlage einige Akzente anders gesetzt, aber im Grundsätzlichen nichts geändert.

e) Lk 21,32

„Amen, ich sage euch: dieses Geschlecht wird nicht vergehen, bis alles geschieht."

Der Satz gehört zur Endzeitrede des Lukas (21,5–38), die stärker als die Markus-Vorlage durch die Ereignisse des Jahres 70 n. Chr. historisiert ist. Das Gleichnis vom Feigenbaum (21,29f), dessen ursprünglicher Sinn die an bestimmten Zeichen erkennbare Nähe des Heils (der Erlösung V. 28!) war, ist im jetzigen Zusammenhang zu einer Gerichtsmetapher[49] geworden, die auf das „Amen, ich sage euch"-Wort (V. 32) vorbereitet und dieses unterstreicht. Freilich in

---

Aufgaben der Amtsträger, nicht auf deren Rechte und Vollmacht zu beziehen.

Anders *Kümmel,* Verheißung 48 Anm. 114: „Es ist auch nicht richtig, daß die Texte das Ausbleiben der Parusie als Problem enthalten und sich dadurch als Gemeindebildung erweisen ... Daß die Hinweise ... die Überlegung der Sklaven: ‚Der Herr läßt auf sich warten' zur Bildhälfte des Gleichnisses gehören und nicht durch das Problem der Parusieverzögerung verursacht sind, hat *Michaelis,* Verheißung, 5ff. erwiesen".

[46] *Schneider,* Parusiegleichnisse 26 Anm. 11, ist im Recht mit der Feststellung, daß das im Vergleich zu Mt 24,48 überschüssige „Kommen" (ἔρχεσθαι) nicht auf das Konto der lukanischen Redaktion gehen muß.

[47] *Hoffmann,* Studien 47f: „Die Verzögerung kennzeichnet die Haltung dessen, der sich auf die Botschaft von Q einläßt, nicht aber notwendig einen internen Zweifel der Q-Gruppe" (48).

[48] *Schneider,* Parusiegleichnisse 28; *ders., Lukas* 431.

[49] Vgl. *Schneider,* Parusiegleichnisse 58: „Da jedoch vom bevorstehenden Sommer gesprochen ist, kann dieser durchaus als die Erntezeit und somit auch als Gerichtsmetapher gemeint sein".

welchem Sinne? Die richtige Deutung wird erschwert a) durch den unscharfen Ausdruck „dieses Geschlecht" und b) durch die dunkel andeutende Bemerkung „bis alles geschieht".

Zu a): Was meint Lukas mit „dieses Geschlecht"? G. Schneider[50] denkt an die zur Zeit der Parusie lebende Menschheit, also an „ein fernes Geschlecht". Freilich: wozu dann noch die Zusicherung des „Nicht vergehen", die dann doch offenbar etwas Selbstverständliches sagt, es sei denn, man würde dem Ausdruck „alles" einen neuen, ungewöhnlichen, die Endereignisse übersteigenden Sinn geben, der über das Selbstverständliche hinausgeht. Zudem müßte man bei dieser Deutung eher die Wendung „jenes Geschlecht" (ἡ γενεὰ ἐκείνη) erwarten. W. Marxsen[51] spricht von dem „Geschlecht gleicher Abstammung", das heißt wohl das jüdische Geschlecht insgesamt. W. Michaelis[52] will in dem Ausdruck eine qualifizierende Aussage über die Menschheit im Sinne von „dieses verkehrte Menschengeschlecht" erkennen; ähnlich, aber etwas zurückhaltender und ohne jedes wertende Urteil auch H. Conzelmann[53]: „die Menschheit überhaupt". Es ist denkbar, daß mit dem Logion im Sinne der heilsgeschichtlichen Konzeption des Lukas dem „neuen Geschlecht" (Apg 8,33), das in der Mission der Kirche Gestalt gewinnt,[54] Bestand zugesichert wird. Das würde freilich für eine Naherwartungsaussage keinen Raum mehr lassen. Man wird sich fragen dürfen, ob die „intensive Naherwartung"[55] der Vorlage völlig in Vergessenheit geraten sein kann. Das für das Gleichnis ausschlaggebende Stichwort „nahe" (V. 31) spricht eine andere Sprache. Zudem ist der Begriff „Geschlecht" (γενεά) in Verbindung mit einem

---

50 *Schneider,* Parusiegleichnisse 60.

51 *W. Marxsen,* Der Evangelist Markus (FRLANT NF 49), Göttingen ²1959, 133. Weitere Vertreter dieser Auffassung bei *Kümmel,* Verheißung 54 Anm. 130.

52 *Michaelis,* Der Herr verzieht nicht die Verheißung 30ff. Weitere Autoren, die sich für diese Deutung entscheiden, bei *Pesch,* Naherwartungen 184 Anm. 817.

53 *Conzelmann,* Mitte 96; *Schmid,* Lukas 314. *Zmijewski,* Eschatologiereden 281f: die gesamte Menschheit.

54 *Ernst,* Lukas 568f.

55 *Pesch,* Naherwartungen 185.

Demonstrativpronomen von vornherein zeitlich zu verstehen,[56] die verurteilende Bedeutung ist nicht vergessen, aber doch abgegriffen. Zu b): Lukas sagt im Unterschied zu Mk 13,30 („dieses alles") allgemein „alles", das nach der Auffassung von G. Schneider[57] weder auf die Zerstörung Jerusalems[58] noch auf die anbrechenden Parusieereignisse (Lk 21,25–27) bezogen werden dürfe. Eine positive Auskunft wird indes nicht gegeben.[59] H. Conzelmann[60] glaubt unter dieser sprachlichen Eigenart die lukanische Idee des göttlichen Heilsplanes erkennen zu können. Wenn der Satz eine Garantieerklärung für die Kirche wäre, müßte man E. Gräßer zustimmen, der an das „durch Sendung, Tod und Auferstehung Jesu in Gang gebrachte Heilsgeschehen als Ganzes"[61] denkt. Der Ausdruck „alles" hätte dann allerdings einen sehr unscharfen und abgegriffenen Sinn. Es ist indes fraglich, ob Lukas derart hintergründige theologische Überlegungen angestellt hat. Wahrscheinlich hat er lediglich eine einfache stilistische Änderung vorgenommen; er erkennt nicht mehr die feinsinnige Unterscheidung, die Markus zwischen „dieses" (V. 29) und „dieses alles" (V. 30) macht,[62] und verteilt die beiden für ihn austauschbaren Worte auf die Verse 21,31 („dieses") und 21,32 („alles"). Mattäus glättet durch die zweifache Verwendung des Ausdrucks „dieses alles" (Mt 24,33 und 24,34).[63] Für das Gesamtverständnis würde das bedeuten, daß „dieses" = „alles", d. h. die

---

[56] *Cullmann*, Heil als Geschichte 193f; *F. Büchsel*, γενεά, in: ThWNT I 661, erklärt den Ausdruck als Übersetzung des hebräischen *haddôr hazzä;* vgl. *Blass-Debrunner-Rehkopf* § 292 Anm. 4.

[57] *Schneider,* Parusiegleichnisse 59; *ders.,* Lukas 430f.

[58] So *A. Vögtle,* Exegetische Erwägungen über das Wissen und Selbstbewußtsein Jesu, in: Gott in Welt I / Festgabe f. Karl Rahner, Freiburg 1964, 608–667, bes. 642f; *A. Feuillet,* Le discours de Jésus sur la ruine du temple, d'après Marc XIII et Luc XXI,5–36: RevBibl 55 (1948) 481ff; 56 (1949) 61ff.

[59] Deutlicher *Schneider,* Lukas 431, hier Verweis auf *Gräßer,* Parusieverzögerung 166.

[60] *Conzelmann,* Mitte 122.

[61] *Gräßer,* Parusieverzögerung 166.

[62] Vgl. *Pesch,* Naherwartungen 179f: „dieses" bezieht sich auf die Tempelzerstörung, „dieses alles" auf die Ankunft des Menschensohnes.

[63] Vgl. *Wilson,* Lukan Eschatology 342f. Ähnlich auch *Moore,* Parousia 135 Anm. 2.

Wiederkunft des Menschensohnes mit den vorangehenden kosmischen Erschütterungen (Lk 21,25–28), „diesem Geschlecht"[64] zugesagt ist. Natürlich stört das Naherwartungslogion, dessen Bedeutung durch die Streichung des Wortes über die Unberechenbarkeit des Endes (Mk 13,32)[65] noch an Gewicht gewinnt, die „auf Dauer" eingestellten Intentionen des Lukas ganz erheblich. Wenn man nicht eine gedankenlose Übernahme eines nicht mehr verstandenen Traditionsstückes annehmen will, dann ist die Vermutung, das Wort sei zu einem „eschatologischen Signal" ohne Anspruch auf unmittelbare Umsetzung und Konkretisierung umfunktioniert worden, nicht von der Hand zu weisen.

f) Zusammenfassung

Es ist richtig, daß sich Lukas systematischer als seine Quellen um eine Lösung des Verzögerungsproblems bemüht;[66] aber an der Tatsache, daß er darüber hinaus auch noch Aussagen über die „Nähe" macht, kann man nicht vorbeisehen. Über die Gründe für eine derartige „Inkonsequenz" kann man nur spekulieren. Möglicherweise folgt Lukas seinen bekannten pastoralen Intentionen, er wendet sich sowohl gegen lähmende Verzögerungserfahrungen: „das Reich ist wider Erwarten immer noch nicht gekommen". Solchen Einwänden würde er die Antwort „es steht nahe vor der Tür" entgegengehalten haben. Er wendet sich aber auch gegen hartnäckige apokalyptische Schwärme-

---

[64] *Wilson*, Lukan Eschatology 343: "... we can only assume that he stretched the meaning of 'this generation' to its fullest extent and took it as referring to the contemporaries of Jesus who were, at the time Luke wrote, still alive. This carries with it the implication that although he made ample room for the delay of the parousia Luke still thought it a possibility, and a real one, that the end would come soon".

[65] Der Hinweis auf Apg 1,7: „Euch gebührt es nicht, Zeit oder Stunde zu wissen, die der Vater in seiner eigenen Macht festgesetzt hat", erklärt noch nicht das auffällige Übergehen eines für die lk Eschatologiekonzeption so wichtigen Logions. Daß Lukas an dem „Nicht-Wissen" des Sohnes Mk 13,32 Anstoß genommen haben soll, ist denkbar, aber hätte er das „Ärgernis" nicht auch auf andere Weise glätten können?

[66] Vgl. *Kümmel*, Einleitung 112: Lk 4,21: Mk 1,15; Lk 9,27: Mk 9,1; Lk 19,11; Lk 21,8: Mk 13,6; Lk 17,20.

reien[67] und betont, daß es noch nicht sobald kommen wird. Das Spekulieren mit Zahlen und das Berechnen von Terminen ist genauso ungesund wie das einschläfernde Vertrösten auf einen fernen und unbekannten Zeitpunkt. Das paränetische Moment tritt stärker in den Vordergrund. Lukas kämpft sozusagen einen Zweifrontenkrieg, der von ihm unterschiedliche, auf den ersten Blick sogar widersprüchliche Akzentsetzungen verlangt.[68] Man könnte dem freilich mit der Frage: „Was stimmt denn eigentlich?" begegnen. Kommt das Ende bald, oder läßt es noch länger auf sich warten? Ist Lukas etwa ein cleverer Taktiker, der keinen festen Standpunkt hat? Kann man die Wahrheit je nach Belieben so oder so drehen? Gibt es für ihn keine festen Grundsätze und keine verbindlichen Standpunkte? G. Schneider hat auf die Schwächen dieser Position aufmerksam zu machen versucht.[69] Dem könnte man freilich mit dem Hinweis auf das vergleichbare Argumentieren des Paulus im 1. und 2. Thessalonicherbrief begegnen.[70] Man muß auch damit rechnen, daß Lukas Naherwartungsworte unreflektiert „mitgeschleppt" hat, ohne große

---

[67] *Ellis,* Funktion 401: „Dieses Problem (der Kirche) war aber nicht die Verzögerung der Parusie, sondern eine falsche apokalyptische Spekulation, die die Lehren Jesu verfälschte und die Mission der Kirche zu pervertieren drohte".

Vgl. hierzu Lk 17,20: „das Reich Gottes kommt nicht unter Beobachtung" (οὐκ ἔρχεται ἡ βασιλεία τοῦ θεοῦ μετὰ παρατηρήσεως). Apg 1,6–8; Flavius Josephus, Bell. Jud. 6,5,4; Tacitus, Hist. 5,13; Sueton, Vespasian 4.

[68] Vgl. *Wilson,* Lukan Eschatology 330–347 bes. 346: "Luke, it appears, was fighting not only on one front, but on two. This dual situation demanded from Luke a dual response. It is this which explains the apparent contradiction, whereby it was both necessary and possible for Luke on the one hand to allow for and maintain a delay in the parousia, and on the other hand to insist that the Lord would come soon."

[69] *Schneider,* Parusiegleichnisse 15: „Hätte aber nicht Lukas auf diese ihm unterstellte Weise das pastorale Problem eher erschwert als bewältigt?"

[70] Im 1. Thessalonicherbrief vertritt der Apostel entschieden die Naherwartung (1 Thess 4,13ff), 2 Thess 2,7 spricht von dem „Verzögerer" (κατέχων). Das Problem stellt sich allerdings anders dar, wenn man von der Unechtheit von 2 Thess ausgeht.

Überlegungen darüber anzustellen.[71] Christen singen auch in der Adventszeit „Freut euch, ihr Christen, freuet euch sehr, schon ist nahe der Herr", ohne mit seinem Kommen morgen oder übermorgen wirklich zu rechnen.

Schließlich darf man daran erinnern, daß auch in der Verkündigung Jesu Heilsgegenwart und Heilszukunft schroff nebeneinander stehen, ohne daß ein erkennbarer Ausgleich sich abzeichnet. Beide „Pole" haben offenbar in der frühchristlichen Verkündigung ihre besondere Funktion. Der „Dogmatismus" einer streng futurischen Eschatologie ist in der frühesten Verkündigung – offenbar schon in der Jesusverkündigung – durch präsentische Aussagen reguliert worden.[72] Umgekehrt können die anstößigen Naherwartungstexte für Lukas Signale sein, welche grundsätzlich den futurischen Aspekt der Eschatologie betonen wollen. Prophetische Jesusworte,[73] die von der frühesten Tradition zu vordergründig im Sinne der empirischen Zeit[74] verstanden wurden und mit fortschreitender Zeit natürlich als

---

[71] *Gräßer,* Parusieverzögerung 190 (zu Lk 10,11): „Das traditionelle Motiv von der Nähe wird hier einfach tradiert, ohne daß es für den eschatologischen Entwurf des Lukas bestimmend würde".

[72] Vgl. *Otto,* Reich Gottes 103; *Schürmann,* Das hermeneutische Hauptproblem 33. Hier der Versuch, Eschatologie und Theologie in der Verkündigung Jesu auf das „Sohn-Sein" als die „Heilsmitte" zurückzuführen.

[73] *Schnackenburg,* Gottes Herrschaft 146f, spricht von „kantigen Traditionssplittern", die von der Kirche nicht sauber in die eschatologische Predigt Jesu eingeordnet werden konnten. Es sei verfehlt, daraus auf einen Irrtum Jesu zu schließen. Die Naherwartungslogien müßten als Elemente der prophetischen Predigt Jesu verstanden werden. Die frühe Kirche habe mit ihrer Hilfe „die lebendige eschatologische Hoffnung" wachgehalten.

[74] *Schnackenburg,* Gottes Herrschaft 147: „Zu einer kritischen Selbstbesinnung gehört auch, daß wir uns von unseren empirischen Zeitvorstellungen lösen, die gerade im abendländischen Denken die Zeit als eine kontinuierlich fortlaufende Linie erscheinen lassen, die in meßbare Abschnitte (‚Räume') eingeteilt wird. Das heilsgeschichtliche Denken der Bibel fragt vielmehr nach dem, was in der Zeit geschieht und sie ‚füllt', fragt nach dem Handeln Gottes, das jeder Zeit ihren Charakter und ihre Schwerkraft verleiht ... Die gesamte Zeit, seit Jesus seine eschatologische Botschaft verkündigte, ist Nähe zur vollendeten Basileia, da diese in Jesus spürbar und gewiß geworden ist, in ihm hereinwirkt in ‚diesen Äon' und auf die Menschen einwirkt".

problematisch empfunden wurden, haben bei Lukas die Aufgabe, die futurischen Perspektiven des Heils aufzuzeigen. Lukas will also sagen: Jesus hat das Heil gebracht, aber Wesentliches steht noch aus. Die Frage „nah" oder „fern" ist für Lukas zweitrangig, ihn interessiert das „Daß" der Zukunft.

Möglicherweise verwahrt sich Lukas gegen eine realized eschatology, welche von der Zukunft nichts mehr erwartete,[75] und wendet sich gleichzeitig mit dem Verweis auf die Anwesenheit des Heils im Wirken Jesu gegen eine ausschließlich futurisch orientierte Heilspredigt.

Es ist ferner viel zu wenig beachtet worden, daß die konsequente Naherwartung in Reinform, die ja die Voraussetzung der Reflexion über die Parusieverzögerung ist, eine äußerst fragwürdige Sache ist. Oder anders gesagt: das Problem der ausbleibenden Parusie, der sich dehnenden Zeit, der Zeit als theologischer Größe überhaupt gab es nicht erst bei Lukas, sondern schon geraume Zeit vor ihm. Die tragenden Schichten der gesamten neutestamentlichen Verkündigung sind mit zeithaften Denkstrukturen durchsetzt,[76] und auch für Jesus wäre noch genauer zu untersuchen, in welchem Verhältnis Prophetie und Zeitbewußtsein zueinander gestanden haben.[77]

U. Wilckens sagt zu der etwas voreiligen Lukanisierung aller Zeiterfahrungen in der frühchristlichen Tradition: „Wir sollten eingestehen, daß wir noch nicht genau wissen, wie groß der persönliche

---

[75] *W. Marxsen,* Einleitung in das Neue Testament, Gütersloh o. J. (^{3}1964), 142: „In einer Zeit . . ., in der eine geschichtslose Gnosis den Bezug der christlichen Botschaft zur Geschichte preisgibt, stellt die Konzeption dieses Werkes einen Protest dagegen dar."

[76] Vgl. *Cullmann,* Heil als Geschichte 166–267. *Kümmel,* Heilsgeschichte 437–457. Dort ein umfassender Überblick über den augenblicklichen Diskussionsstand und eine Zusammenstellung von Texten der neutestamentlichen Hauptzeugen, die auf ein heilsgeschichtliches Denken hindeuten. Der interessante Hinweis auf die Bemerkung von *Cullmann,* Heil als Geschichte 86, „daß *mit* dem historischen Jesus nicht nur die Ereignisse gegeben waren, sondern in Jesu Verkündigung bereits ihre heilsgeschichtliche Deutung", verdient beachtet zu werden.

[77] *Kümmel,* Naherwartung 31–46, wendet sich mit Berufung auf die Naherwartungsworte gegen die Bestreitung jeder Zeitperspektive in der Verkündigung Jesu. Hier müßte freilich noch genauer über das Zeit-

Anteil des Lukas an der Formung des theologischen Schemas, das seinem Doppelwerk unterliegt, in Wirklichkeit ist. Nicht alles, was in den Schriften des Lukas charakteristisch ist, ist auch original lukanisch!"[78]. Wir müssen damit rechnen, daß angeblich typisch lukanische Züge von Lukas übernommen wurden, so auch die sich dehnende Zeit, wie umgekehrt Übernommenes durch den Prozeß der Rezeption eine andere Prägung erhalten hat. „Vor allem ist es sehr fraglich, ob sein (des Lukas) Konzept einer Heilsgeschichte überhaupt als eine theologische Reaktion auf das Problem der Parusieverzögerung entstanden ist."[79] Es sei hier an die Einschränkung von E. Gräßer erinnert, der die Parusieverzögerung nur als *einen* negativen Faktor neben gewichtigeren positiven versteht.[80] Unter diesen haben die Auferstehungserscheinungen ohne Zweifel ganz neue Orientierungsdaten gesetzt.[81] Wir werden auf diesen Aspekt noch einmal

---

bewußtsein Jesu, das offenbar in der prophetischen Perspektive „nah" und „fern" ineinander übergehen läßt, nachgedacht werden. Es geht hier nur um die grundsätzliche Zuerkennung der Kategorie „Zeit" für Jesus. Vgl. auch *Cullmann,* Heil als Geschichte 167–214 bes. 213f: „Unter welchem Gesichtswinkel wir auch die Verkündigung Jesu betrachten, kommen wir zu dem Schluß, daß Heilsgeschichte für ihn mehr ist als nur eine äußerlich vom Judentum übernommene Denkform: sie ist aufs tiefste verknüpft mit seinem Selbstbewußtsein und mit seiner prophetischen Schau des Gegenwartsgeschehens, in dessen Mittelpunkt er selber steht ... Sein Blick umfaßt Vergangenheit, Zukunft und Gegenwart. Die Ereignisse, die sich vor ihm und durch ihn abspielen, deuten, heißt für ihn wie für die Propheten, sie in die Heilsgeschichte *einreihen,* aber nun so, daß seine Offenbarung und sein Werk zum Höhepunkt aller Heilsgeschichte, zur Erfüllung der Geschichte Israels werden".

78 *U. Wilckens,* Lukas und Paulus unter dem Aspekt dialektisch-theologisch beeinflußter Exegese, in: *ders.,* Rechtfertigung als Freiheit. Paulusstudien, Neukirchen 1974, 171–202, hier 181f.

79 *U. Wilckens,* aaO. 182.

80 *Gräßer,* Parusieverzögerung 224.

81 Vgl. *Cullmann,* Heil als Geschichte 220ff: „Wie man auch das, was an Ostern geschehen ist, beurteilen mag, sicher ist, daß die ersten Christen damals Christuserscheinungen gesehen haben und daß ihnen gleichzeitig die Deutung offenbart worden ist: er ist wirklich auferstanden, das heißt: der Tod ist besiegt! ... Das zweite große Ereignis, das die Urgemeinde die Dehnung der Zeit positiv erleben ließ, war das des konkreten Wirkens des Heiligen Geistes, das sich in verschiedenen Formen

zurückkommen müssen. Lukas fand das Problem der Parusieverzögerung also schon in der Tradition vor,[82] er hat es auch bewußter behandelt,[83] entscheidend aber für seinen Entwurf ist nicht die erfahrene Parusieverzögerung, sondern das Wissen, daß das Heil in Jesus gekommen ist und daß es auch in der Zeit zwischen Himmelfahrt und Parusie erfahrbar geblieben ist.[84] Die lukanische Eschatologie hat, wie E. E. Ellis richtig feststellt, die Funktion, „die ausschließliche Vermittlung der eschatologischen Erfüllung durch

---

äußerte: Zungenreden, Krankenheilungen, auch Entschluß zum Verzicht auf Eigentum und anderes ... Diese das Ende vorwegnehmenden Ereignisse waren so überwältigend, daß es damals gar nicht dazu kommen konnte, daß das Ausbleiben des Gottesreiches zum ‚quälenden Problem' wurde".

[82] Beispiele für Q: Lk 12,39f/Mt 24,43f; Lk 12,42–46/Mt 24,45–51; Lk 19,12–27/Mt 25,14–30. Vgl. *Lührmann*, Logienquelle 69–71. Möglicherweise könnten auch Lk 12,35–38/Mt 25,1–13; Lk 13,24–27/Mt 7,13f.22f und 25,31–46 für die Parusieverzögerung herangezogen werden. *Hoffmann*, Studien 43–50, setzt sich fundiert mit den „undifferenzierten" Parusieverzögerungsthesen (s. auch *Gräßer*, Parusieverzögerung 218) auseinander und zeigt eine dialektische Zuordnung von Naherwartung und Verzögerung in der frühesten Tradition auf.
Parusieverzögerung macht sich bei *Markus* bemerkbar in der synoptischen Apokalypse Mk 13,10: das Evangelium muß zuerst bei allen Völkern verkündet worden sein. Mk 13,24a: „nach jener Drangsal". Mk 13,32: „Doch jenen Tag und jene Stunde kennt niemand ...". *Gräßer*, Parusieverzögerung 169, sieht die Endzeitrede des Markus durch die immer deutlicher erkennbar werdende Parusieverzögerung gekennzeichnet. „Für das praktische Verhalten der Christen bedeutet das faktisch die Umstellung von akuter Naherwartung auf lange Dauer." Vgl. *Gräßer*, Naherwartung 17–27, bes. 17: „Ja, man kann zeigen, daß schon in einem relativ frühen Traditionsstadium, nämlich in der Redaktion der synoptischen Evangelien, sogar schon auf der Traditionsstufe zwischen Jesus und dem Markus-Evangelium (also etwa Mitte des 1. Jahrhunderts) sich Spuren der Parusieverzögerung und Anstrengungen, sie zu bewältigen, bemerkbar machen".

[83] Es ist müßig, hierfür alle Belege anzuführen; vgl. hierzu *Schneider*, Parusiegleichnisse, passim. *Kümmel*, Einleitung 112.

[84] Die „Zeit der Kirche" steht also in gleicher Weise wie die „Jesuszeit" im Zeichen des Heils. Vgl. *Kümmel*, Lukas in der Anklage 164: „... er hat in der Situation der sich dehnenden Zeit des späten Urchristentums ‚die These von der heilsgeschichtlichen Dignität eben dieser

Jesus"[85] aufzuzeigen, nicht im Sinne des „Jetzt schon" und „Dann nicht mehr", Lukas will vielmehr deutlich machen, daß Jesus als der Menschensohn der Repräsentant des kommenden Äons ist.[86] In diesem Sinne müssen die ambivalenten Texte, die auf die Naherwartung und auf das Gekommen-Sein gedeutet werden können, verstanden werden. Das problematische „gekommen ist" (ἤγγικεν [Lk 10,9.11], ἔφθασεν [Lk 11,20]) müsse christologisch verstanden und im Sinne der Erfüllung *und* der noch ausstehenden christologischen Vollendung gedeutet werden. Die Eschatologie ist bei Lukas christologisch überformt. Das Heil ist in Jesus *gekommen,*[87] aber es ist noch nicht vollendet da. Das Kommen des Reiches ist in Beziehung zu setzen zum Kommen des Menschensohnes. Die Identifizierung der eschatologischen Erfüllung mit Jesus stellt die Grundlage für das Verständnis der Beziehung dieses Äons zu dem kommenden dar. Für die Frage nach der Mitte der lukanischen Verkündigung ergeben sich daraus Konsequenzen: Lukas hat nicht, veranlaßt durch die Parusieverzögerung, Heilsgeschichte „an Christus

geschichtlichen ›Zwischenzeit‹ aufgestellt und auf diese Weise erkannt, daß Gottes endzeitliches Heilshandeln in Jesus Christus gerade nicht nur Vergangenheit war, sondern durch die vom Geist getriebene Botschaft des Evangeliums auch für seine Zeit Gegenwart geblieben ist".

[85] *Ellis,* Funktion 395. *Gräßer,* Naherwartung 136: „Die Zukünftigkeit und Gegenwärtigkeit der Königsherrschaft Gottes liegen in der Person Jesu beieinander. Für eine durch die bedingte Sprachgestalt bis zum unbedingten Sachverhalt durchstoßende Interpretation besagt das: Jesus hat seine Hörer nicht an eine unbestimmte Zukunft verwiesen, sondern in eine durch Gottes Zukunft bestimmte Gegenwart eingewiesen, in der sie entschlossen die Stunde ergreifen sollen, um in gesammelter Kraft Gottes Willen *jetzt* zu erfüllen und ihr Heil zu erlangen".

[86] Vgl. hierzu U. *Wilckens,* Christus, der ‚letzte Adam‘, und der Menschensohn, in: Jesus und der Menschensohn. Festschrift A. Vögtle, Freiburg–Basel–Wien o. J. (1975) 387–403, bes. 395. Die Repräsentanzfunktion des lukanischen Menschensohnes müßte freilich anhand der einschlägigen Texte noch genauer untersucht werden. Die rettende und erlösende Rolle des Menschensohnes in der Parusie zeigt Lk 17,22b und 21,36.

[87] *Gräßer,* Naherwartung 137: „Das Ineinander von Person (Jesu) und Sache (Königsherrschaft Gottes) ist dabei dasjenige, was alle vorgegebenen religionsgeschichtlichen Schemata und alle Begriffe, mit denen der Anspruch Jesu abgedeckt werden könnte – sei es der des Menschensohnes, sei es der des Messias oder andere – unbrauchbar werden läßt".

vorbei" geschrieben, er wollte vielmehr die bleibende Gegenwart des Gottesreiches in Jesus Christus zum Ausdruck bringen. Wir werden auf die Auswirkungen dieser Erfüllungserfahrung auf das Problem der Heilsgeschichte mit ihrer Zukunftsperspektive und mit der im Himmel „schon jetzt" realisierten Vollendung noch eingehen müssen. Es muß ferner nach der Funktion der Kirche in der Darstellung der bleibenden Gegenwart des Gottesreiches in Zeit und Geschichte gefragt werden. Hat Lukas die „Zeit der Kirche" in die Darstellung seines Evangeliums eingeblendet, um so die Verkündigung Jesu zu aktualisieren? Das Evangelium bietet in der Tat dafür genügend Hinweise; der Leser hört, indem er sich auf die Situation Jesu besinnt, Weisungen für die Kirche seiner Zeit, er läßt sich von Jesus selbst zurüsten für das Ende aller Dinge. „Unter diesem Aspekt gewinnen Christologie und Ekklesiologie für Lukas ihren gemeinsamen Nenner und ihren Bezug zueinander."[88] Im Augenblick ging es darum, das Motiv der Parusieverzögerung etwas zu relativieren und für die Neuorientierung der lukanischen Eschatologie zentralere Erfahrungen, die sich aus dem Christusereignis ergeben, aufzuzeigen. Die Stetsbereitschaft ist keinesfalls der Ersatz für die überholte Naherwartung, sondern die einfache Folgerung aus dem sicheren Wissen, daß der Herr kommt.

1.2.2 Zu These 2: Der göttliche Plan tritt an die Stelle der aktuellen Eschatologie

Natürlich kann nicht bestritten werden, daß Lukas, der von seinem besonderen Standort innerhalb der Geschichte der jungen Kirche aus bereits auf die Anfänge zurückblicken und auf das noch ausstehende Ende vorausschauen konnte, differenziertere Aussagen über die Führung Gottes und über den Plan Gottes machen konnte,[1] wobei im letzten noch genauer zu prüfen wäre, wo, an welchen Stellen und in welchen Zusammenhängen diese sehr unscharfe Idee nachzuweisen ist. Die von Conzelmann herangezogenen Begriffe und Wendungen belegen in ihrer Gesamtheit einen für die Apostelgeschichte typi-

---

[88] *Merk*, Reich Gottes 219.
[1] *Flender*, Heil und Geschichte 128.

schen Gedanken; aber das Evangelium für sich allein gibt wenig Hinweise auf einen Heilsplan Gottes, der sich „in der geistgewirkten Leitung der Gemeinde"[2] verwirklicht oder die innere Triebkraft der Mission darstellt. Erst bei Heranziehung der Apostelgeschichte kann das „Leben Jesu" als Mitte der Zeit in den Plan eingeordnet werden. Die für den göttlichen Heilsplan repräsentative Wendung δεῖ („Muß"), die im lukanischen Geschichtswerk besonders stark ausgeprägt ist – von den 102 gesamtneutestamentlichen Stellen finden sich 41 im lukanischen Schrifttum –, stellt im Evangelium den Weg Jesu unter den Willen Gottes. Der Zwölfjährige beantwortet die Vorwürfe der Mutter mit der Gegenfrage: „Wußtet ihr nicht, daß ich in dem, was meines Vaters ist, sein muß?" (2,49). Die Predigt vom Reich Gottes, zu der Jesus sich gesandt weiß, untersteht dem göttlichen „Muß" (4,43); das unstete Wandern Jesu „heute und morgen und am kommenden (Tage)" (13,33) fällt unter das gleiche „Gesetz", das auf die Vollendung des Propheten in Jerusalem hindeutet. Das heilsträchtige „heute", das den göttlichen Heilsplan andeutende „Muß" und das auf personale Christusgemeinschaft ausgerichtete „Bleiben" in der Zachäusperikope (Lk 19,5) zeigen an, daß in Jesus der Heilswille und das Heilsangebot Gottes verwirklicht sind. Vor allem aber steht das Leiden, Sterben und Eingehen Jesu in die Herrlichkeit ganz im Zeichen des den souveränen Willen Gottes darstellenden „Muß". Die Verarbeitung der Markusvorlagen durch die lukanische Redaktion gibt die spezifische Ausrichtung der Leidenstheologie des 3. Evangeliums zu erkennen: während die markinischen Passionssummarien auf den Gegensatz „zwischen dem hoheitlichen Wesen des Menschensohnes und seinem Leidensgeschick"[3] abheben (Mk 8,31; 9,31; 10,33f), hat Lukas durch die bewußte und überlegte Verwendung der „muß"-(δεῖ-)Formel (bei Markus nur einmal 8,31!) das Todesgeschick Jesu im göttlichen Heilsplan verankert. Neben der aus der Markustradition stammenden Stelle Lk 9,22 sind die Sonderguttexte Lk 17,25; 22,37; 24,7 (Mk-

---

[2] *Flender,* aaO. 128.

[3] *U. Wilckens,* Die Missionsreden der Apostelgeschichte. Form- und traditionsgeschichtliche Untersuchungen (WMANT 5), Neukirchen [3]1974, 159.

Verarbeitung), 24,26.44 und Apg 17,3 besonders aussagekräftig. Der in die erste – aus Q stammende – Endzeitrede 17,22–37 eingefügte V. 25 zeigt in den beiden Sachaussagen „viel leiden" – „verworfen werden" und in der Zuordnung dieses Geschicks zum Willen Gottes auffällige Anklänge an Mk 8,31. Die dritte lukanische Leidensankündigung Lk 18,31 verwendet statt der „muß"-Formel einen Rückverweis auf Schrift und Propheten, welche die heilsgeschichtliche Linie verdeutlichen. Die dunkle Todesankündigung in dem Gespräch nach dem Abendmahl (Lk 22,37) kombiniert eine „muß"-Formel mit dem Rückverweis auf die Schrift. Die dreifache Beanspruchung des göttlichen „Muß" für das Leiden und Eingehen in die Herrlichkeit in dem Osterkapitel kann geradezu als hermeneutische Aufschlüsselung des Jesusweges verstanden werden: 24,7: „. . . daß der Menschensohn ausgeliefert werden muß in die Hände der sündigen Menschen und daß er gekreuzigt werden muß und am dritten Tage auferstehen wird"; 24,26: „Mußte dieses der Messias nicht leiden und so in seine Herrlichkeit eingehen?"; 24,46: „so steht geschrieben, daß der Christus leidet und aufersteht von den Toten am dritten Tage". Neben dieser fast stereotypen Verwendung einer festgeprägten Formel verdient der Gebrauch des Christustitels (Lk 24,26.46; Apg 3,18; 17,3; 26,23) an Stelle des herkömmlichen, aus der Tradition übernommenen Menschensohnnamens (Lk 17,24f; 24,7) Beachtung. Im Leiden, Auferstehen und Eingehen in die Herrlichkeit wird Jesus als der Christus ausgewiesen. Die Heilsführung Gottes, die ein durchgehendes Thema des lukanischen Geschichtswerkes ist, hat eine unmißverständliche christologische, auf Tod, Auferstehung und Erhöhung ausgerichtete Sinnspitze. Der Plan Gottes ist also weder durch den dogmatischen Begriff der göttlichen Vorsehung, noch durch eine umfassende, die Zeit von der Schöpfung der Welt bis zum Weltende umgreifende Geschichtslinie, welche im Auftreten Jesu ihre Mitte gefunden hat, abgedeckt. Das Christusereignis, welches in der Sendung durch den Vater begründet, in der Predigt und im Heilandswirken weltlich dargestellt, in Sterben, Auferstehung und Erhöhung von Gott für alle Welt sichtbar bestätigt ist, ist die eigentliche Mitte des göttlichen Planes. Das Evangelium hat diese christologische Linie unverkennbar ausgezogen. Konnte der Terminus δεῖ („Muß") in der Verwendung durch Markus noch eschatologisch verstanden werden,[4] so ist er bei Lukas der christologischen Überformung der Eschatologie angepaßt.[5] Der Heilsplan hat nicht die aktuelle Eschatologie verdrängt, die Eschatologie ist vielmehr zu einem Strukturelement der Christologie geworden.

1.2.3 Zu These 3 und 4: Lukas reflektiert das Wesen des Reiches Gottes, das von der Idee des Christusreiches überlagert ist

Es ist nicht zu bestreiten, daß die Reich-Gottes-Vorstellung im 3. Evangelium neu akzentuiert worden ist. Während Mk 4,11 von „dem" Mysterium des Gottesreiches die Rede ist, also von dem Gottesreich, das selbst ein Mysterjum ist, spricht Lk 8,10 (und auch Mt 13,11) von „den" Mysterien. „Die Basileia ist damit . . . als eine überirdisch zuständliche und schon auf Erden vorfindliche Größe charakterisiert."[1] Lk 9,27 ist vom „Sehen des Gottesreiches", das einigen der dort Stehenden verheißen ist, die Rede.[2] Das 3. Evangelium reflektiert nicht, wie Mk 9,1, das eschatologische Ereignis der „in Macht" kommenden Gottesherrschaft, sondern lenkt den Blick auf etwas Vorfindliches.[3]

---

[4] *W. Grundmann*, δεῖ, in: ThWNT II 23: „Der Begriff δεῖ drückt die *Notwendigkeit des eschatologischen Geschehens* aus, ist also für das NT ein eschatologischer Terminus".

[5] *Ders., aaO.* 24: „Christus ist also nicht nur Verkünder der Eschatologie, sondern seine Geschichte ist Eschatologie. Dieses δεῖ, unter dem Leiden, Tod, Auferstehung und (bei Lk) Himmelfahrt stehen, gehört zum geheimnisvoll richtenden und heilenden Handeln Gottes in der Endzeit".

[1] *Schürmann*, Lukas 459.

[2] Mk 9,1: „einige der *hier* Stehenden".

[3] *Merk*, Reich Gottes 209, charakterisiert das Reich-Gottes-Verständnis von H. Conzelmann treffend: „*Conzelmann* sieht das Reich Gottes bei Lukas unter dem Gesichtspunkt der Parusie-Verzögerung, deren immanentes Ergebnis die ‚Zeit der Kirche' ist, in der man auf das ‚Leben Jesu' als ‚Typos des Heils' für die Gegenwart zurückblicken kann. Dadurch bleibt Jesus zwar die historisch einmalige, entscheidende Gestalt im Ablauf der Heilsgeschichte, er repräsentiert die ‚Mitte der Zeit', aber er ist nicht mehr das eschatologische Ereignis. Darum kann in Jesu Handeln und Reden nur das für die βασιλεία τοῦ θεοῦ Typische, das das Wesen des Gottesreichs Charakterisierende in den Blick treten, nicht mehr das Reich Gottes selbst".

Aber ist es erlaubt, deshalb schon von einer „Wesensbetrachtung" zu sprechen und die eschatologischen Perspektiven der gegenwärtigen Basileia rigoros abzusprechen?[4] Es ist denkbar, daß das (gegenwärtige) Wirken der Kirche den Basileia-Gedanken des Lukas auf besondere Weise akzentuiert.[5] Aber die ekklesiologische Interpretation darf den Blick nicht ablenken von dem christologischen Verständnis, das durch das vorausgehende eschatologische Menschensohnwort (V. 26) und durch die nachfolgende Verklärungsperikope (9,28–36) doppelt akzentuiert wird. Die Einleitung von V. 27: „ich sage euch aber" retardiert den Gedankengang, ohne ihn jedoch zu unterbrechen (anders dagegen Mk 9,1: „und er sagte ihnen: amen, ich sage euch"). Das Sehen des Gottesreiches ist dadurch deutlich zu dem Kommen des Menschensohnes in Beziehung gesetzt. Während das Letztere für die Gesamtheit des Volkes (die πάντες = alle von V. 23) gilt, wird das Erstere nur einigen wenigen, die dort stehen, vor der Parusie zuteil. Es ist die Frage, wie dieses „Sehen" zu verstehen ist. Kann man sagen, daß hier der „zeitlose Begriff des Reiches"[6] in Erscheinung tritt? Oder soll hier nur in allgemeiner Form auf die Gegenwärtigkeit des Gottesreiches in der Verkündigung hingewiesen werden?[7] Diese Deutung trifft nur einen Teil des Gemeinten, denn „Sehen" zielt auf etwas Gegenständlicheres ab als nur auf das Verkündigungswort. Die Basileia ist jetzt schon sehbar geworden in der *Person* Jesu, welche das Subjekt des Verkündigungswortes und der Wundertat ist. „Das heißt: auch in der sich dehnenden Zeit bleibt die βασιλεία an die Person Jesu gebunden. Die Gegenwart Jesu ist darum konstitutiv für das lukanische

---

[4] *Conzelmann,* Mitte 96: „Es war in der Person Jesu anschaulich und wird am Ende der Zeiten wieder erscheinen. In der Zwischenzeit ist es ‚präsent', sofern es Inhalt der Predigt ist . . . Das *Kommen* kann also nur als künftiges Faktum, ohne Angabe des Zeitpunktes, ‚verkündet', das *Wesen* dagegen kann jetzt *gesehen* werden".

[5] *Schürmann,* Lukas 551: „Er (Lukas) wird daran denken, daß das Gottesreich schon im Wirken Jesu (10,9.11; 11,20; 17,20f.), deutlicher dann freilich mit Jesu Auferstehung, dem Pfingstfest und mit der Ausbreitung der Kirche ‚sichtbar' wird".

[6] *Conzelmann,* Mitte 95.

[7] *Schneider,* Parusiegleichnisse 67: „Seit dem Auftreten Jesu wird ‚die Gottesherrschaft verkündigt' und ist *insofern* gegenwärtig".

Verständnis der βασιλεία τοῦ θεοῦ."[8] Die nachfolgende Perikope von der Verklärung Jesu Lk 9,28–36 ist zwar stärker als bei Markus (9,2–10) von der vorhergehenden Szene abgesetzt, aber das redaktionelle „es geschah aber nach diesen Worten" (ἐγένετο δὲ μετὰ τοὺς λόγους τούτους) ist so abgeschliffen (vgl. Lk 1,5.8.23.59; 2,1.6.46; 3,21; 5,1.12.17; 6,12; 7,11; 8,1.22.40; 9,37 und öfter), daß es kaum für einen thematischen Bruch in Anspruch genommen werden kann.[9] Die berufenen Zeugen Petrus, Johannes und Jakobus sind die „dort" Stehenden, die das „Reich Gottes", das heißt, den verklärten Herrn Jesus als den Repräsentanten des Reiches, sehen dürfen.[10] Wenn man den apokalyptischen Menschensohntitel zur Hintergrunderhellung heranziehen darf (Lk 22,67.69; Kombination der Titel: Messias – Menschensohn – Sohn Gottes), dann erweist sich die Annahme einer „Vergegenständlichung" als zu vordergründig. Das Reich Gottes ist für Lukas in der gleichen Weise wie Jesus, der Menschensohn, gegenwärtig und zukünftig.[11]

Für ein verändertes Verständnis des Gottesreiches im 3. Evangelium spricht Lk 17,21: „. . . denn siehe, das Reich Gottes ist unter euch" (ἐντὸς ὑμῶν ἐστιν).[12] Die Übersetzung des griechischen Ausdrucks ἐντὸς ὑμῶν bereitet Schwierigkeiten. Das von der älteren Exegese vertretene „inwendig von euch" (in euren Herzen)[13] widerspricht wohl zu sehr der Gesamttendenz der Jesusverkündigung

---

[8] *Merk,* Reich Gottes 216.

[9] Gegen *Schneider,* Parusiegleichnisse 67.

[10] Lukas sieht freilich nicht einseitig auf ein vergangenes Aufleuchten der Basileiaherrlichkeit in dem damals verklärten Jesus zurück, für ihn wird das Reich Gottes gegenwärtig durch den jetzt in der Erhöhung verklärten Christus repräsentiert; vgl. *J. M. Nützel,* Die Verklärungserzählung im Markusevangelium. Eine redaktionsgeschichtliche Untersuchung (FzB 6), Würzburg 1973, 298.

[11] Vgl. *Thüsing,* Erhöhungsvorstellung 92.

[12] Ausführliche Literaturangaben zum Thema bei *Schneider,* Parusiegleichnisse 45 Anm. 19.

[13] Vertreter dieser Auffassung werden bei *Kümmel,* Verheißung 27 Anm. 5, aufgeführt. Sprachlich wäre diese Deutung wohl möglich; sie wird in dem Oxyrhynchos-Logion 654,3 vorausgesetzt – Erkenntnis als Weg der Gottesreich-Erfahrung – und dann von den lateinischen Übersetzungen (intra vos) vertreten.

und der Aussagerichtung des Kontextes.[14] Das Reich Gottes ist extra nos, es kommt auf uns zu. Bedenkenswert ist die Annahme einer zeitlich-räumlichen Nähe, deren Perspektiven allerdings unscharf bleiben.[15] Eine kontextbezogene Deutung des Logions wird sicher nicht an den die Frage nach dem „Wann" und „Wo" polemisch zurückweisenden redaktionellen Zusätzen in V. 25 („Zuerst aber muß er viel leiden und verworfen werden von diesem Geschlecht") und V. 37b („Er aber sprach zu ihnen: wo das Aas, da versammeln sich auch die Geier") vorbeisehen dürfen. Es ist möglich, daß V. 21 durch die gleiche Absicht bestimmt ist und den Fragestellern antwortet: „Überall und zu jeder Zeit".[16] Lukas hätte in diesem Fall lediglich die von apokalyptischen Voraussetzungen ausgehende Frage der Pharisäer kritisieren wollen. Aber hier melden sich grundsätzliche Bedenken an: hätte Jesus (oder der Redaktor Lukas) diesen Gedanken nicht eindeutiger und unmißverständlicher zum Ausdruck bringen können, als nur mit der unscharfen Formulierung „nicht unter Beobachtung" (οὐχ ... μετὰ παρατηρήσεως)? Jesus ist kein delphisches Orakel, sondern ein Prophet, dessen Sprache trotz mancher fremdartiger Züge doch ver-

---

[14] Da das Wort ἔντος für Lukas Hapaxlegomenon ist und die zweite neutestamentliche Belegstelle Mt 23,26 auch nicht weiterhilft, wird man das akzentuierte ἔντος auf die einleitende Fragestellung „wann das Gottesreich kommt" (V. 20) beziehen und von daher der Antwort ebenfalls einen zeitlichen Sinn geben müssen.

[15] Während die konsequenten Eschatologisten das Wort im Sinne einer Verheißung verstehen und das interpretierende „plötzlich" („ist das Reich mitten unter euch") mithören, wollen die Vertreter der „realized eschatology" zwischen „schon vorhanden", aber nicht zur Ordnung dieser Zeit gehörig unterscheiden und damit die Andersartigkeit der Basileia sicherstellen, vgl. *Dodd,* The Parables 84 Anm. 1: "The Day of the Son of Man is not localized in space (or time), because it is instantaneous and ubiquitous: the Kingdom of God is not localized, because it is 'within you.' Are they really two ways of saying that the ultimate reality, though it is revealed in history, essentially belongs to the spiritual order, where the categories of time and space are inapplicable?"

[16] Vgl. *Schneider,* Parusiegleichnisse 45: „Die Frage der Pharisäer nach dem Termin der Gottesreich-Ankunft wird mit dem Hinweis auf die Anwesenheit des Reiches beantwortet und im Grunde polemisch zurückgewiesen (VV. 20f)".

ständlich ist. Die richtige Deutung des Logions wird sich stärker an der Relation zwischen Frage und Antwort orientieren müssen. Das „unter euch" (ἐντὸς ὑμῶν) ist durch das vorausgehende „Wann" klar auf die Bedeutung „Jetzt schon" festgelegt. Lukas will mit dieser Antwort freilich nicht die Zukunftsperspektiven überhaupt abstreifen, er will das Miteinander von (futurischer) „Verheißung" und (gegenwärtigem) „Anruf" durch eine pointierte Formulierung zum Ausdruck bringen;[17] für Lukas ist infolge seiner ausgeprägten christologischen Sehweise „die Gegenwart selbst zum ‚Ort' der Zukunft"[18] geworden. Gottesherrschaft und Heilsgegenwart kreuzen sich im Handeln und Reden Jesu.[19] „Weiter: die so qualifizierte Gegenwart mußte zwangsläufig den ungeteilten Blick auf sich ziehen, zumal sich hier ja der ‚Eingang ins Leben' entschied. Darum wird die Suche nach einem noch ausstehenden Termin mitsamt der Frage: Wann? Wie lange noch? als eine glatte Fehlhaltung entlarvt."[20] Im Sinne des Lukas spricht man besser von einer „dynamischen Gegenwart" des Heils. „Er (Jesus) läßt die Zukunft nicht nur sozusagen hautnah an die Gegenwart angrenzen, sondern reißt auch noch diese zeitliche Grenze ein."[21] Mit dieser Deutung dürfte der Aussagewille der lukanischen Redaktion in der Tat richtig getroffen sein. Inwieweit das Lukaswort die Jesusverkündigung vollinhaltlich abdeckt,[22] steht hier nicht zur Diskussion. Diese christologische Er-

---

17 *Schnackenburg*, Gottes Herrschaft 94: „Verheißung, insofern an anderen Stellen noch von ihrem (der Gottesherrschaft) künftigem Kommen die Rede ist, Anruf, indem sie jetzt zur Entscheidung und zur Vorbereitung auf das Kommende zwingt".

18 *Becker*, Johannes der Täufer 81.

19 *Becker*, aaO. 80.

20 *Becker*, aaO. 81.

21 *Becker*, aaO. 81.

22 Dieses wird bei Becker offenkundig vorausgesetzt; ähnlich schon *Otto*, Reich Gottes 107–109, und *Grundmann*, Lukas 338–341, bes. 341: „Die Gottesherrschaft ist in der Geschichte Jesu Christi als Gegenwart dagewesen, und sie kommt mit seiner Wiederkunft wieder. Die Christenheit lebt zwischen zwei Adventen: der Ankunft des Reiches in der Geschichte Jesu und seiner neuen Ankunft in seiner Wiederkunft. Zwischen diesen beiden Adventen ist es Realität in himmlischer Transzendenz." Man wird ergänzend hinzufügen müssen: „aber auch zeichenhaft anwesend im Wirken der Kirche und im Pneuma".

klärung des „unter euch" (ἐντὸς ὑμῶν) ist überzeugender als die gekünstelte Unterscheidung zwischen dem zukünftigen Gottesreich, das in weite Ferne gerückt ist, und der Vorabbildung in der gegenwärtigen Verkündigung.[23] Es gehört wohl zur Paradoxie der Jesusverkündigung, daß Widersprüche in seiner Person konvergieren. Das Gottesreich ist mit der Verkündigung Jesu jetzt schon angekommen: das Reich wird seit Johannes dem Täufer verkündet (Lk 16,16). In den Krankenheilungen (Lk 10,9.11) und in den Dämonenaustreibungen ist seine Gegenwart erkennbar geworden. Die Jünger, die bei der Rückkehr von der galiläischen Mission berichten, die bösen Geister hätten ihnen gehorcht (10,17), zeigen an, daß nach dem Willen Jesu auch die Tätigkeit der Boten zur dynamischen Verwirklichung der Basileia gehört.

Aber die Gegenwärtigkeit ist nicht von der Art, daß die Zukunft nichts mehr brächte. Mit den traditionellen Naherwartungslogien will Lukas bewußt „gegensteuern". Das Gottesreich ist gekommen und es befindet sich trotzdem immer noch im Zustand des Kommens. Wesentliches ist bereits realisiert, aber Entscheidendes steht noch aus. Zwischen diesen beiden Polen steht Jesus selbst, der das Reich in Gegenwart und Zukunft repräsentiert.[24] Lukas hat die sich dehnende Zeit stärker berücksichtigt und in der Apostelgeschichte die Kräfte des Gottesreiches, weiter wirksam im Heiligen Geist, im erhöhten Herrn Jesus Christus und in der Kirche, dargestellt.

Man hat ferner auf die für Lukas typische Wendung „das Reich Gottes verkünden"[25] hingewiesen, die eine Vergegenständlichung voraussetzte. „Die lk. Wendung von der Verkündigung der

---

[23] *Conzelmann,* Mitte 113.

[24] *Gräßer,* Naherwartung 139: „Das Beieinander von Gegenwart und Zukunft in der Person Jesu wird so zum hermeneutischen Schlüssel aller christlichen Eschatologie"; man muß hinzufügen: insbesondere der Eschatologie des 3. Evangeliums.

[25] Lk 8,1 (vgl. 4,43): κηρύσσων καὶ εὐαγγελιζόμενος τὴν βασιλείαν τοῦ θεοῦ (Mt 9,35: κηρύσσων τὸ εὐαγγέλιον τῆς βασιλείας); Lk 9,2: κηρύσσειν τὴν βασιλείαν τοῦ θεοῦ (Mt 10,7: κηρύσσετε λέγοντες ὅτι ἤγγικεν ἡ βασιλεία τῶν οὐρανῶν); Lk 9,11.60; 16,16; Apg 1,3; 8,12; 20,25; 28,23; 28,31.

βασιλεία τοῦ ϑεοῦ sei ein Kennzeichen dafür, daß dieses Reich in der Ferne liege, ja Lukas habe diese Ausdrucksweise geschaffen, um nicht mehr von der Nähe des Reiches sprechen zu müssen."[26] Wenn man den inneren Bezug zwischen dem programmatischen Wort Jesu Mk 1,15 über die Nähe des Reiches Gottes und dem „heute ist dieses Schriftwort in Erfüllung gegangen" Lk 4,21 bedenkt, dann wird einsichtig, daß für Lukas in der Person Jesu, in der Heilspredigt und in den diese Predigt bestätigenden Heilstaten die Basileia in die Gegenwart hineinwirkt. Es ist nicht zu übersehen, daß das Prophetenwort Jes 61,1, das die Heils*verkündigung* so stark betont, für das lukanische Verständnis der Wirksamkeit Jesu von entscheidender Bedeutung ist; die Wortverbindung „Verkündigung" und „Reich Gottes", die sich durch das ganze Evangelium und durch die Apostelgeschichte zieht, gehört zur lukanischen Redaktion. Aber die Predigt als Ort der Gegenwart des mit Jesus hier und jetzt schon kommenden Gottesreiches ist nur die eine Seite. Lukas weiß auch um die Repräsentation des Heils in den *Taten Jesu*. Lk 9,2 vermittelt ein komplexeres Bild der Basileiadarbietung: „Und er sandte sie, das Reich Gottes zu verkünden *und* gesund zu machen die Gebrechlichen". Im Wirken der Zwölf, die von Jesus „Vollmacht und Gewalt" (Lk 9,1) erhalten haben, ist das Reich Gottes erkennbar. Das Fehlen des Spruchs vom Herankommen des Himmelreiches (Mt 10,7) ist zwar auffällig, aber die Zwölf „repräsentieren" in der Reich-Gottes-Predigt *und im Helfen und Heilen* Jesus. In diesem Sinne wird man auch das Q-Logion Lk 11,20 = Mt 12,28: „Wenn ich mit dem Finger Gottes die Dämonen austreibe, dann ist zu euch gekommen das Reich Gottes"[27] deuten müssen. „In Jesu Gegenwart, in Jesu Tun geschieht bereits endzeitliches Heil. Indem Jesus dieses Wort sagt, verkündigt er die Gegenwart des Reiches Gottes in seiner Person."[28] Als Hinweis auf die Beziehung zwischen dem Gottesreich und dem Auftreten Jesu in Wort und Tat muß auch die Stelle Lk 17,20f verstanden werden: „Durch Jesu Gegenwart ist die Frage nach dem

---

[26] *Merk*, Reich Gottes 209.
[27] Die lukanische Fassung dürfte die ursprünglichere sein; vgl. *Ernst*, Lukas 372f; *Merk*, Reich Gottes 210 Anm. 31. Dort Literatur zur Stelle.
[28] *Merk*, aaO. 210f.

‚Wann' entschieden"[29]. Die Person des Kyrios Jesus wird mehr und mehr der herausragende Gegenstand der Verkündigung. Die Reich-Gottes-Predigt wird auf ihre christologische Mitte hin entfaltet. Wir haben es hier mit einer durchgehenden Tendenz der neutestamentlichen Verkündigung zu tun, die allerdings in den Spätschriften besonders stark ausgeprägt ist.[30] Lukas gibt diese Entwicklung deutlich zu erkennen. Während Markus beim Einzug Jesu in Jerusalem die Volksmenge neben der Preisung des im Namen des Herrn Kommenden auch das „kommende Reich unseres Vaters David" erwähnt (Mk 11,10), beschränkt sich Lukas (19,38; vgl. auch Mt 21,9) auf die Person Jesu. An die Stelle der βασιλεία (des Reiches) ist der βασιλεύς (der König) getreten. Lukas kann aber auch umgekehrt an die Stelle der Person Jesu das Reich Gottes treten lassen: Mk 10,29 ist von der Nachfolge „um meinetwillen und um des Evangeliums willen" die Rede, Lk 18,29 heißt es dagegen: „wegen des Gottesreiches" (Mt 19,29: „wegen meines Namens"). „Jesu Christi Name und Botschaft, Jesus Christus selbst wird dem Gottesreich gleichgesetzt."[31] Auf die sachlichen Berührungen zwischen Reich-Gottes-Verkündigung und Menschensohnchristologie weist der synoptische Vergleich Mk 9,1 = Lk 9,27 mit Mt 16,28 hin: „Auf diesen ‚Menschensohn' und Herrn warten die Christen genauso wie auf das Gottesreich selbst"[32]. Lukas hat die Predigt vom kommenden Gottesreich also nicht auf die „Institution Kirche" eingeengt und

---

[29] *Merk,* aaO. 216.
[30] *Thüsing,* Erhöhungsvorstellung 89: „Stellt man das nachösterliche Kerygma als Ganzes, ohne Differenzierung in Entwicklungsstufen, der Verkündigung Jesu gegenüber, dann ist tatsächlich eine ‚erstaunliche Wende' gegeben, dann tritt die Basileia-Botschaft tatsächlich vor der christologischen Messias- und Kyrios-Verkündigung zurück". Thüsing warnt freilich vor einer zu vordergründigen Bewertung der Entwicklung im Sinne einer „Wende" oder gar eines Bruchs. „Die Verlagerung des Schwerpunktes ist grundsätzlich . . . erfolgt – und trotzdem kann die Basileia- und Menschensohn-Verkündigung noch durchgehalten, ja (durch den Vorgang der ‚Transformation') intensiviert durchgehalten werden".
[31] *K. L. Schmidt.* βασιλεία, in: ThWNT I 590f.
[32] *K. L. Schmidt,* aaO. 591. Weitere Aufschlüsse bietet der Vergleich zwischen Mt 25,1: τότε ὁμοιωθήσεται ἡ βασιλεία τῶν οὐρανῶν δέκα παρθένοις

vergegenständlicht, er hat sie vielmehr in seine intensivere Christuserfahrung integriert.

Unter diesem Blickwinkel wird auch die für manche anstößige Rede
vom „Christusreich" verständlich. Auf die in Frage kommenden
Stellen (Lk 1,33; 22,30; 23,42) soll hier im einzelnen nicht Bezug
genommen werden.[33] Der Stellenbefund ist wohl auch zu gering, um
zu klaren und überzeugenden Ergebnissen kommen zu können. H.
Conzelmann[34] urteilt zu Recht zurückhaltend. Er sieht hier die
Mittlerrolle Christi ausgedrückt: „Wie Gott durch Christus zu uns in
Beziehung tritt, so steht gelegentlich neben seinem Reich die
Analogiebildung des Reiches Christi, vielleicht unter dem Einfluß
gemeinkirchlicher Anschauungen. Weiter geht Lc noch nicht. Vor
allem wird die Identifizierung des Reiches Christi mit der *Kirche*
gerade nicht vollzogen!"[35]. Im Kontext der lukanischen Gesamt-
verkündigung wird man wohl die neue Sprach- und Begriffsbildung
als Ausdruck einer zentraleren Christuserfahrung verstehen dürfen.
Vielleicht haben wir es hier mit einer Zwischenstufe der vorhin
angedeuteten Entwicklung von der Reichspredigt zur Christusverkündigung zu tun.

1.2.4 Zu These 5: Der Geist ist nicht Kennzeichen der Endzeit, sondern Ausdruck für das christliche Leben in dieser Zeit

Conzelmann beschreibt das Geistwirken für die Situation der Apostelgeschichte mit dem Satz: „der Geist ist in der Kirche; er wird
durch ihre Amtshandlungen und Amtsträger übertragen"[1] sicher

---

und Lk 12,35f: ... καὶ ὑμεῖς ὅμοιοι ἀνθρώποις προσδεχομένοις
τὸν κύριον ἑαυτῶν. Apg 8,12: εὐαγγελιζομένῳ περὶ τῆς βασιλείας
τοῦ θεοῦ καὶ τοῦ ὀνόματος Ἰησοῦ χριστοῦ. Apg 28,31: κηρύσσων τὴν
βασιλείαν τοῦ θεοῦ καὶ διδάσκων τὰ περὶ τοῦ κυρίου Ἰησοῦ χριστοῦ.

[33] Vgl. *R. Schnackenburg*, Gottes Herrschaft 120f; *K. L. Schmidt*, aaO. 581f;
Conzelmann, Mitte 108–111. Dort auch eine Auseinandersetzung mit
J. Wellhagen, Anden och riket. Lukas religiösa åskådning och särskild
hänsyn till eskatologien, Uppsala 1941, 40ff, der an das von Lukas neu
eingeführte transzendentale apokalyptische Messiasreich denkt.

[34] *Conzelmann*, Mitte 111.

[35] *Conzelmann*, aaO.

[1] *Conzelmann*, Mitte 194. *Schulz*, Stunde der Botschaft 269: „Der Geist

nicht falsch. Es ist ihm auch zuzustimmen, wenn er sagt: „Das Leben der Kirche im Geist mit seinen Faktoren, Verkündigung, Gemeinschaft, Sakrament, Gebet, Bestehen in der Verfolgung, wird paradigmatisch in der Schilderung der Urgemeinde vorgeführt"[2]. Aber davon ist ja gerade im Evangelium des Lukas nicht ausdrücklich die Rede. Das 3. Evangelium mag solches voraussetzen, entscheidend ist jedoch, daß hier Jesus selbst als Geistträger „in einem ausgezeichneten Sinn"[3] dargestellt wird. Vom Heiligen Geist gezeugt (Lk 1,35) und in seiner Würde als der geliebte Sohn, an dem der Vater Gefallen hat (Lk 3,22), bestätigt, wurde er „erfüllt vom Heiligen Geist" – die Verdoppelung des Motivs muß beachtet werden, vgl. dagegen Mk 1,12; Mt 4,1 – vom Geist vierzig Tage lang in der Wüste umhergetrieben (Lk 4,1). Von der Kraft des Heiligen Geistes getrieben (Lk 4,14) kehrte er nach Galiläa zurück, in der Nazaretpredigt nimmt er das Jesajawort „Der Geist des Herrn ruht auf mir, denn er hat mich gesalbt" (Lk 4,18) für sich in Anspruch. „Nur weil der Geist Gottes auf Jesus ruht, weil Gott der in Jesus handelnde ist, vermag Jesus die aus Jesaja zitierte Botschaft auf sich zu beziehen."[4] Nach der Rückkehr der Siebzig preist er, „vom Heiligen Geist erfüllt" (Lk 10,21), den Vater, der den Unmündigen die Offenbarung schenkt. Lk 11,20 wird das Wirken des Geistes, hier mit dem Ausdruck „Finger Gottes" umschrieben (vgl. Mt 12,28), zu dem Ankommen ($\check{\varepsilon}\varphi\vartheta\alpha\sigma\varepsilon\nu$) des Gottesreiches in Beziehung gesetzt. Die Wundertaten Jesu sind sichtbarer Erweis für das „Jetzt schon" der Basileia Gottes. Der Begriff „Kraft" ($\delta\acute{\upsilon}\nu\alpha\mu\iota\varsigma$), mit dessen Hilfe Lukas die besondere Gottesnähe Jesu andeutet, wird gelegentlich neben Aussagen über das Wirken des Pneuma (1,35; 4,14) oder in bewußter Gegenüberstellung zu den „unreinen Geistern" (4,36) verwendet. Das Handeln Jesu „ist Kraftwirken und richtet sich auf die dämonischen Mächte der Welt. Seine Kraft hat er im heiligen Geist – Geist und Kraft ge-

---

weht bei Lukas nicht mehr, wo er will (so Joh 3,8), und er wird auch nicht – so Paulus – durch die Taufe verliehen, sondern er ist an die Urapostel und die apostolischen Nachfolger und kirchlichen Amtsträger gebunden".

[2] *Conzelmann,* aaO. 194.

[3] *Conzelmann,* aaO. 168.

[4] *Merk,* Reich Gottes 208.

hören für Lk unauflöslich zusammen –, in ihr verwirklicht er seine
ἐξουσία. Der Geist, der seine Existenz aus Gott sichtbar macht
und seine Existenz mit Gott verbindet, schließt in eben diesem
Ursprung seiner Existenz und in dieser Verbindung seiner Existenz
die Kraftbegabung ein"[5]. Das Logion vom Lästern des Heiligen
Geistes (Lk 12,10) hat zwar einen Bezug zu der vom Heiligen Geist
geleiteten Kirche,[6] aber auch die vorrangige christologische Akzentuierung behält ihren Wert. „So macht dieses Wort den Jüngern
ermutigend die Größe ihrer Sendung deutlich, zu der sie durch den
Heiligen Geist ausgerüstet werden, und warnt sie zugleich, durch
Verleugnung des Herrn, der im Geiste gegenwärtig ist, ihn zu lästern."[7]

Eine genauere Untersuchung des Begriffs „Kraft" (δύναμις)[8] zeigt
wahrscheinlich ein besonders geformtes, auf machtvolle Demonstra-
tion[9] ausgerichtetes Geistverständnis. „Der wirkliche Gehalt dieser
Kraft ist jedoch darin gegeben, daß sie der Geist Jesu Christi des erhöhten Herrn ist."[10] Auf eine „Umarbeitung der Tradition durch
Lukas im Sinne seiner heilsgeschichtlichen Vorstellung"[11] deutet
nichts hin. Die Pneumatologie des 3. Evangeliums ist eindeutig
christologisch orientiert, was nicht besagen soll, daß sie nicht „offen" ist für die dem Gesamtwerk des Lukas zugrunde liegende
Weg- und Missionstheologie.[12] Aber es geht nicht an, die „weiter-

---

[5] *W. Grundmann,* δύναμις, in: ThWNT II 301f.

[6] *Ernst,* Lukas 395.

[7] *Grundmann,* Lukas 255.

[8] *Grundmann,* Begriff der Kraft.

[9] Als Machttaten und wunderbare Zeichen: Lk 4,36; 5,17; 6,19; 8,46; 9,1;
10,13.19; 19,37; in Verbindung mit dem πνεῦμα: Lk 1,35; 4,14;
24,49; im eschatologischen Zusammenhang: Lk 21,26.27; 22,69; Geist
und Kraft des Elija: Lk 1,17.

[10] *v. Baer,* Der Heilige Geist 6.

[11] *Conzelmann,* Mitte 171. Dort der Hinweis auf *C. K. Barrett,* The Holy
Spirit and the Gospel Tradition, London 1947, 77, der im Begriff
δύναμις die „Macht des Geistes" (the energy of the Spirit) dargestellt
findet. Dem ist zuzustimmen. Kann man deshalb aber schon mit
Conzelmann, Mitte 171, sagen: „die Geistvorstellung ... dient ... der
Beschreibung seiner Stellung in der Welt, genauer in der Heilsgeschichte, damit seines Verhältnisses zur Kirche"?

[12] Vgl. *Löning,* Lukas 213: „Der Geist ist Prinzip der Sendung [vgl. Lk 4,18;

entwickelte" Pneumatologie des zweiten Werkes – der Apostelgeschichte – auch dem ersten Werk, dem Evangelium, zugrunde zu legen.

H. Flender hat den interessanten Versuch unternommen, die unterschiedliche Akzentuierung der Geistvorstellung des Evangeliums und der Apostelgeschichte von der für Lukas typischen Unterscheidung zwischen Diesseits und Jenseits her zu verstehen. Während das Evangelium in Jesus, dem Geistträger ein irdisches Spiegelbild „für die in Christus neu gesetzte, Wirklichkeit des Reiches Gottes"[13] darstellen wolle, sei der Geist in der Kirche der Apostelgeschichte eine Gabe des erhöhten Christus (Apg 2,33: „Nachdem er durch die rechte Hand Gottes erhöht war und vom Vater den verheißenen heiligen Geist empfangen hatte, hat er ihn ausgegossen, wie ihr seht und hört"), aber das Pneuma habe sich verselbständigt, es sei eine „überindividuelle Wirklichkeit"[14], welche der Gemeinde als ganzer zukommt und „ihre geistliche Kontinuität"[15] garantiert. Der Heilige Geist müsse in engster Beziehung zu der weitergehenden Geschichte gesehen werden. Auf eine kurze Formel gebracht: die Einheit des Heiligen Geistes, die im Markusevangelium infolge der zentralen Bedeutung der Auferstehungswirklichkeit gewährleistet ist, ist bei Lukas aufgegeben.

Flender hat richtig gesehen, daß die Geisterscheinungen in der Apostelgeschichte und im Evangelium nicht homogen sind und deshalb eine vorschnelle Angleichung unstatthaft ist. Die Erfahrung einer in der Zeit und in der Welt lebenden Kirche brachte neue Einsichten in das Wesen des Geistes mit sich. Von entscheidender Bedeutung ist jedoch die bleibende Christusgebundenheit des Pneuma (Apg 2,33). Der Geist, der in der Kirche wirkt, ist die neue Weise der Anwesenheit des erhöhten Christus.[16] Hier wird nicht eine

---

Apg 13,2–4], zugleich Ausrüstung der Gesandten [Apg 1,8; 10,38] und Führer auf dem Weg". Hierzu auch Lk 4,1.14; Apg 8,29.39; 10,19; 11,12; 13,2.4; 16,6f; 20,22f; vgl. auch *Schneider,* Lukas 111f.

[13] *Flender,* Kirche 275.

[14] *Flender,* Kirche 276.

[15] *Flender,* aaO. 276.

[16] *Ellis,* Luke 10: "Jesus of Nazareth, the decisive figure in this new act of the Spirit, is Spirit conceived (1.35) and Spirit confirmed (3.22). He pro-

neue objektive Geistsubstanz, eine in sich selbständig subsistierende Macht, welche die treibende Kraft der Weltmission ist, eingeführt, „sondern dieser Geist ist das Organ des Heilswillens Gottes und des erhöhten Herrn, der die Jünger in seinen Dienst genommen und sie mit der wunderbaren Macht zum Zweck der Verkündigung ausgerüstet hat"[17]. Die Divergenzen im Erscheinungsbild, die ein Spiegelbild der Diskontinuität der Heilszeiten sind, dürfen nicht in der Weise strapaziert werden, daß die in Jesus, dem zum Himmel erhöhten Christus, gegebene Kontinuität völlig negiert wird.

Für die Frage nach der Bedeutung des Geistes im Evangelium führt der Vergleich mit den synoptischen Parallelen, auf den E. Schweizer[18] abhebt, weiter: „So ist bei Lukas eine theologische Entscheidung klar gefallen. Markus und Mattäus konnten Jesus noch naiv als Pneumatiker schildern, obwohl sie schon deutlich machten, daß sie ihn damit als den einzigartigen eschatologischen Retter zeichnen wollten. Lukas hat diese Einsicht ins Bewußtsein gehoben: Jesus ist nicht Pneumatiker, wie es die Pneumatiker in der Gemeinde sind. Er ist nicht Objekt des auch in der Gemeinde wirkenden Geistes; in ihm offenbart sich überhaupt erst Gottes Geist, durch ihn kommt er der Gemeinde zu". Das Element des Eschatologischen ist nicht im Sinne der Heilsgeschichte „historisiert"[19], sondern christologisch personalisiert. Die Apostelgeschichte setzt andere Akzente, aber sowohl die Bemerkung des Petrus über die Aussendung des Heiligen Geistes durch den erhöhten Christus (2,33) als auch die kompositorische Abfolge von Himmelfahrt und Pfingsten gibt den Christusbezug zu erkennen. Das Evangelium folgt im übrigen eigenen Gestaltungsgesetzen, die sich aus der bewußten Rückschau auf das irdische Leben Jesu ergeben. Die theologischen Leitgedanken der Apostelgeschichte

---

claims his message through the Spirit (10.21; 11.20; Ac. 1.2) and, after his resurrection, mediates the Spirit to his followers (24.49; Ac. 2.33)."

[17] Vgl. *v. Baer,* Der Heilige Geist 3.

[18] *E. Schweizer,* πνεῦμα, in: ThWNT VI 403.

[19] Gegen eine derartige Vereinfachung sprechen auch Texte, die direkt oder indirekt den Geist mit dem Gericht in Verbindung sehen (vgl. Lk 3,16f; 12,10), aber bei dem für Paulus zentralen eschatologischen Ereignis der Auferstehung Jesu spielt der heilige Geist in der lukanischen Konzeption keine Rolle.

dürfen mit denen des Evangeliums nicht unkritisch harmonisiert werden.[20]

1.2.5 Zu These 6: Im Zuge der Enteschatologisierung treten Weltprobleme in den Vordergrund

Es ist unbestritten, daß das 3. Evangelium sich intensiver als seine Quellen mit Weltproblemen beschäftigt,[1] aber der Grund dafür ist nicht allein die verzögerte oder vergessene Parusie, sondern vielmehr die durch die intensive Christuserfahrung neu orientierte Eschatologie: der Herr ist nicht nur der Kommende, er ist auch der jetzt zum Himmel Erhöhte, der den einzelnen Christen schon im Augenblick des persönlichen Todes in die Verantwortung ruft". „Wachsamkeit ist zu jeder Zeit geboten."[2] Das hat natürlich Konsequenzen für das Verhalten im Alltag. Das Gleichnis vom törichten Reichen (Lk 12,16–21), das in dem Wort: „Tor, in dieser Nacht werden sie deine Seele von dir fordern" gipfelt, gibt das neue Motiv christlichen Weltverhaltens zu erkennen: es gibt nicht nur die andrängende Zukunft, sondern auch den verantwortliches Verhalten fordernden gegenwärtigen Gott.[3] Die hoheitlich-herrscherlichen Züge der lukanischen

---

20 Derartiges ist zwar immer wieder versucht worden, vgl. *Tolbert,* Hauptinteressen 339: „Nicht nur stammen Lukasevangelium und Apostelgeschichte vom gleichen Autor; sondern dieser hat sie *von Anfang an* als zwei Teile eines in sich geschlossenen Gesamtwerkes konzipiert. Apostelgeschichte und Lukasevangelium bilden eine Einheit mit grundlegendem gedanklichen Zusammenhang"; aber ein überzeugender Beweis konnte für diese Hypothese nicht erbracht werden. Richtig dagegen *Schürmann,* Evangelienschrift 266f: „Lukas schafft nicht in einem Doppelwerk (Lk und Apg) einen ‚Aufriß', nach dem Heilsereignisse über das Leben des irdischen Jesus hinaus sich in der Kirche fortsetzen' – ‚bis an das Ende der Zeiten'. Lukas weiß von den entscheidenden christologischen Heilsfakten Apg 1,1–5, die Objekt des apostolischen μαρτυρεῖν, des verkündenden λόγος zu sein haben, eben dieses apostolische μαρτύριον Apg 1,8 durchaus abzusetzen".

1 Vgl. *Ernst,* Lukas 16–18.

2 *Schneider,* Parusiegleichnisse 93; *ders.,* Lukas 358f.
  Vgl. *Schürmann,* Eschatologie und Liebesdienst 226f Anm. 39.

3 *Schürmann,* Das hermeneutische Hauptproblem 24: „Mögen die sittlichen Weisungen Jesu in ihrer Motivation auch eschatologisch akzentuiert

Christologie[4] deuten in der bewußten Kontrastierung zu dem menschlich-diesseitigen Jesusbild den Glauben an den himmlischen Herrn und das Wissen um die Verantwortung der Christen vor dieser hohen Instanz an.[5] Die „Doppelzügigkeit" der lukanischen Eschatologie – der Blick „nach oben" und der Blick in die Zukunft – ist das für das 3. Evangelium eigentlich Bestimmende.[6] Die Welt wird bewußter erfahren und in ihrer Versuchlichkeit reflektiert,[7] aber es ist immer eine Welt „vor Gottes Angesicht". Gott ist jetzt „im Jenseits" dieser Welt, aber er kann jeden Augenblick richtend und vollendend in Erscheinung treten. So sind die eschatologischen Vorstellungen des Lukas keinesfalls durch eine „christliche Bürgerlichkeit"[8] ersetzt, Lukas versucht vielmehr, die Botschaft in der Welt hörbar zu machen. Ein überzeugendes Beispiel sind die „Gastmahlgespräche" Lk 14,1–24, die nach dem Modell eines antiken Symposions gestaltet sind. Texte, die auf den ersten Blick auf „Lebensbeobachtungen, Regeln der Klugheit und Volksmoral"[9] hinauszulaufen scheinen,

---

sein, sie bleiben doch zuinnerst und wesentlich von der Theozentrik her bestimmt. Jesus zeigt nicht nur – das auch –, wie man sich dem Gott gegenüber situationsgerecht verhält, der nun in seinem Königtum kommt, sondern auch – und das besonders, wie man sich dem Gott gegenüber wirklichkeitsgerecht verhält, den er als Herrn und Vater offenbart".

[4] *Ernst,* Lukas 19f; *Schneider,* Lukas 95–98.

[5] *Flender,* Heil und Geschichte 43.

[6] Es muß freilich mit aller Klarheit festgehalten werden, daß Lukas diese „Doppelzügigkeit" nicht geschaffen hat. Erhöhungsvorstellung und Parusieerwartung sind nicht in einem zeitlichen „Nacheinander" entwickelt worden. *Thüsing,* Erhöhungsvorstellung 91, stellt richtig fest: „Die frühe Gemeinde weiß die ‚Erhöhungsvorstellung' terminologisch noch kaum oder jedenfalls nicht in der später entwickelten Weise von der Parusieerwartung abzusetzen; sie vermag also auch noch nicht in der späteren Weise zu differenzieren zwischen dem ‚erhöhten' und dem kommenden Jesus. Trotzdem sind beide Spannungspole – der präsentische und der futurische – in voller Stärke vorhanden". Wir werden auf diese Frage noch genauer einzugehen haben.

[7] Verführung durch materielle Güter; Verfolgungen, das Problem der Sünde insgesamt, die Rolle der Frau, die Zuneigung zu den Deklassierten, Interesse an sozialen Fragen, vgl. *Tolbert,* Hauptinteressen, bes. 348–353.

[8] *Schulz,* Stunde der Botschaft 271: „Die vita christiana ist im Sinne einer christlich-bürgerlichen Frömmigkeit verstanden".

[9] *Bultmann,* Geschichte 108.

haben durch den Bezug auf den „Mahlherrn" Jesus und durch die Unterstellung unter die christologisch-eschatologische Gesamtausrichtung – Jesus ist der Mahlherr, er allein führt das Gespräch; die profanen „Anstandsregeln" erhalten in V. 11 und 14 deutliche eschatologische Bezüge – einen ganz neuen Sinn erhalten. „Lk hat in der literarischen Komposition 14,1–24 ein Paradigma für das Tischgespräch, das die Gemeinde bei ihren Zusammenkünften führen sollte, gegeben. Die Worte und Weisungen Jesu erhalten eine neue Aktualität: der Herr hilft jetzt dem Hilflosen genauso wie damals dem Wassersüchtigen; er fordert die Haltung des Klein-Seins und verwirft die stolze Eitelkeit. Die Ehrengäste beim Mahl sind auch heute die Entrechteten; Arme, Krüppel, Lahme und Blinde sollen an erster Stelle zu Tisch geladen werden. Gott hat genauso gehandelt, als er die Heiden an Stelle von Israel berief, und er wird am Ende ebenso verfahren, wenn es um die Zulassung zum eschatologischen Freudenmahl geht."[10]

Mit den Gastmahlgesprächen sind die Abschiedsworte Jesu während des letzten Mahles (Lk 22,21–38) zu vergleichen, die in freier Komposition Mahnungen und Verheißungen für die Zurückbleibenden (V. 24–30), die Voraussage des Judasverrates (V. 21–23) und der Petrusverleugnung (V. 31–34) und schließlich Anweisungen für die Zeit der bevorstehenden Anfeindungen durch die Welt (V. 35–38) bieten. Das Anliegen des Lukas ist die bewußte Zuordnung der Christusbotschaft zur Welt mit ihren Anfechtungen und Versuchungen. Aber das allein reicht nicht aus. „Wir haben es mit einem frühen Traditionsstück zu tun, das durch die Elemente des Tischdienstes und der eschatologischen Mahlgemeinschaft mit dem Abendmahl thematisch zusammenhängt"[11] und die Weltprobleme auf die vorrangige Christusverkündigung bezieht.

Ein weiterer Komplex, der auf die für Lukas typische Behandlung diesseitig-irdischer Fragestellungen eingeht, ist die literarische Funktion der Reise Jesu nach Jerusalem (Lk 9,51–19,27).[12] Auf den ersten

---

[10] *Ernst,* Lukas 446; *ders.,* Gastmahlgespräche: Lk 14, 1–24, in: Die Kirche des Anfangs. Festschrift H. Schürmann, Leipzig 1978, 76–104.

[11] *Ernst,* Lukas 593.

[12] Während der Anfang des Abschnitts in 9,51 mit dem Beginn der für die Quellenfrage wichtigen „großen Einschaltung" (9,51–18,14) überein-

Blick ist der gewaltige Abschnitt nichts anderes als „eine formlose Zusammenstellung verschiedener Stoffe"[13]. Lukas verklammert die literarischen Einzelstücke durch die Idee des Reiseweges. Das Heil wird als Weg hinauf nach Jerusalem, zum Kreuz und zur Vollendung, dargestellt. „Jesus ist der prophetische Lehrer, der im Angesicht seines eigenen Todes ‚der Gemeinde, vor allem den Führern der Gemeinde zeigen (will), wie sie nach dem Willen Jesu zu leben und zu handeln haben'."[14] Der Gesichtspunkt des Beispielhaften und der Ruf in die Jesusnachfolge[15] sind ein durchgehendes Motiv. Für die Gemeinde des Lukas ist die Vollendung Jesu in der Erhöhung freilich so eindrucksstark, daß die Kategorie der bloßen ethischen „Nachahmung" nicht mehr ausreicht. Das Leben in dieser Welt wird in der Rückerinnerung an Jesus und im Aufblicken zum gegenwärtigen Christus bewältigt. Lukas hat die Christusbotschaft keinesfalls „verweltlicht" und entschärft, er hat sich vielmehr den neuen Fragestellungen, die sich aus der Existenz in der Zeit und in der Welt ergeben, entschieden gestellt. Für das 3. Evangelium ist die Welt nicht nur Gottes Schöpfung, sondern auch die „Um-Welt" Jesu und der Lebensraum der Kirche. Das Heil ist in die Welt eingegangen, ohne in ihr aufzugehen. Es gibt immer noch ein „Darüber-Hinaus", das in der Bindung an die Heils-Person Jesus Christus sichergestellt ist.

---

stimmt, ist das Ende an der Stelle 19,27 auf das inhaltlich-theologische Motiv des „Weges Jesu" bezogen: mit 19,28 beginnt der Bericht vom Einzug Jesu in Jerusalem. Vgl. auch *W. C. Robinson jr.,* Interpretationszusammenhang 115–134, bes. 117: „. . . vielmehr hat die Untersuchung der Reiseangaben durch K. L. Schmidt erwiesen, daß der Reisebericht bis Lk 19,27 reicht und somit Markusstoff miteinbezogen hat".

[13] *A. Wikenhauser / J. Schmid,* Einleitung in das Neue Testament, Freiburg–Basel–Wien [6]1973, 262.

[14] *Ernst,* Lukas 316.

[15] *W. C. Robinson jr.,* aaO. 133.

1.2.6 *Zu These 7: Die Gemeinde des Lukas ist nicht bedroht durch das andrängende Ende, sondern durch geschichtliche Verfolgungen*

Die endzeitlichen Bedrängnisse sind im Lukasevangelium zwar geschichtlich aktualisiert und auf die Ereignisse des Jahres 70 n. Chr. bezogen worden,[1] es ist auch nicht zu bestreiten, daß der Ausdruck „Zeit der Völker" (Lk 21,24), der die innerweltliche Geschichte reflektiert, „anti-eschatologisch" zu verstehen ist. Die Zukunftserwartung ist damit freilich nicht völlig ausgeschaltet. Nach wie vor ist die Parusie des Menschensohnes (Lk 21,25–28) das beherrschende Thema der Redekomposition Lk 21,5–38.[2] Aber auch die Schilderung der Drangsale (Lk 21,7–11) – der Ausdruck „Wehen" (ὠδίνη) wird im Unterschied zu Mk 13,8 nicht verwendet; statt „vollenden" Mk 13,4 heißt es uneschatologisch „geschehen" Lk 21,7. Die Nähe des Kairos (des Endgerichtes?[3]) wird ausdrücklich verneint (Lk 21,8); das paränetische Moment ist stärker ausgeprägt – ist trotz der zeitgeschichtlichen Nebentöne nicht völlig der Weltgeschichte angeglichen worden. Die an historische Ereignisse erinnernden „Aufstände" (V. 9, vgl. 4 Esd 9,3),[4] die mit Markus übereinstimmenden endzeitlichen Ereignisse („Volk wird gegen Volk aufstehen und Reich gegen Reich" V. 10; Erdbeben und Hungersnöte V. 11) sind ergänzt durch Seuchen, schreckliche Ereignisse und gewaltige Zeichen am Himmel,[5] die den innerweltlichen Rahmen sprengen.[6] Da Lukas im

---

[1] Vgl. *Ernst,* Lukas 552.

[2] *Zmijewski,* Eschatologiereden 217: „Der Satz dient also dazu, durch die Nennung des terminus ad quem eine Verbindung zum Parusiegeschehen herzustellen".

[3] Anders *Zmijewski,* aaO. 118: „Lukas verfolgt . . . ein besonderes Anliegen. Er warnt davor, sich durch solche Leute (Christen) verführen zu lassen, die von sich behaupten, Jesus, der wahre Christus, d. h. der Bringer des Kairos, zu sein."

[4] *Zmijewski,* aaO. 119–121, spricht von „geschichtliche(n) Ereignisse(n) mit *eschatologischer Bedeutung*".

[5] Die Dreiergruppe „Schwert, Hunger und Pest", die in verschiedenen Kombinationen alttestamentlich belegt ist (Jer 14,12; 21,7; 38,2; Ez 5,12; vgl. 14,21; 1 Kön 8,37), ist für Lukas ein apokalyptisches Schema, das unverkennbar auf die Endzeit zu beziehen ist.

[6] Anders *Zmijewski,* aaO. 124, der V. 10f von V. 25 absetzt und an innerweltliche Ereignisse, die der Zerstörung Jerusalems vorausgehen, denkt.

nachfolgenden Abschnitt V. 12–19 von Verfolgungen, also von zeitgeschichtlichen Begebenheiten spricht, die „vor all diesem" (V. 12), das heißt vor den genannten Ereignissen, kommen, bleibt der apokalyptisch-eschatologische Hintergrund gewahrt.[7] Daß V. 11 auf einen langen Zeitabschnitt hindeuten soll,[8] geht aus dem Text nicht hervor. Es ist also gerade nicht so, daß Lukas alles, was in den V. 5–24 beschrieben wird: „die Zerstörung des Jerusalemer Tempels und Jerusalems selber, Kriege und Aufruhr, die Zeit der Verfolgung, Gefängnis und Leiden der Jünger, die Völkerkrisen, kosmische Zeichen und das Ende der Völker überhaupt"[9], auf die Geschichte seiner Zeit bezogen hätte, er hat vielmehr apokalyptische Erwartungen und zeitgeschichtliche Erfahrungen ineinanderfließen lassen,[10] ohne

---

Richtig dagegen *Geiger,* Endzeitreden 171f: „eindeutig kosmische Ausmaße"; „die weltweiten Kriege und schließlich die kosmischen Katastrophen, die erst Lukas in voller Breite hier einführt, sind ja nicht mehr erst der Anfang der Wehen, sind keine Vorspiele des Endes mehr, sie sind mit dem Kommen des Endes identisch".

[7] Vgl. auch *Geiger,* aaO. 178: „πρὸ δὲ τούτων πάντων in V12 ist also auf den letzten Teil des Einleitungsabschnittes zu beziehen", d. h. auf die V. 10f angedeuteten und V. 25f mit den Stichworten „Zeichen" (σημεῖα) und „Furcht" (φόβος) wieder aufgenommenen Enderreignisse.

[8] So *Conzelmann,* Mitte 120: „Das Reich kündet sich lange an – und kommt dann wie der Blitz. Von dieser vorlaufenden Zeit kann eine gegliederte Darstellung gegeben werden".

[9] *Schulz,* Stunde der Botschaft 295.

[10] Die Einteilung in „historischer Ereignisse" (21,5–24) und apokalyptische Ereignisse (21,25–28) ist zu schematisierend. Lukas hat zwar schärfer als seine Vorlage differenziert (vgl. *Schneider,* Lukas 414f), aber auch das Historische ist apokalyptisch eingefärbt, wie umgekehrt das Apokalyptische niemals ohne historischen Hintergrund zu denken ist. Der Satz von *Schulz,* Stunde der Botschaft 295: „Sie (die Eschatologie) ist in Wirklichkeit für den Hellenisten Lukas bereits nichts anderes mehr als die Lehre von den ‚letzten Dingen'" bedarf mancher Korrekturen. *Schneider,* Lukas 415, spricht im Hinblick auf das Schicksal Jerusalems vom „Erfüllungsgeschehen", das der noch ausstehenden Parusie Gewicht gibt. Zur grundsätzlichen Frage nach dem Verhältnis von Historie und Mythos vgl. *Cullmann,* Christus und die Zeit 97. Cullmann sieht in dem Begriff „Prophetie" die das (heils-) geschichtliche Ereignis und den protologischen und eschatologischen Mythos zusammenhaltende Klammer. „Die Heilsgeschichte als Ganzes ist ‚Prophetie'".

über die Fristen exakte Aussagen machen zu wollen. Die schmerzlichen Erfahrungen der Zeitgeschichte sind zwar vor dem Hintergrund bekannter Prophezeiungen über die apokalyptischen Wehen gedeutet worden, aber sie haben diese nicht völlig absorbieren können und auch nicht wollen. Es steht immer noch etwas Bedrohliches aus und es ist gut, den Blick davon nicht abzulassen. Demzufolge ist es kaum gerechtfertigt, aus der Neufassung von Mk 13,13: „wer aber ausharrt (ὑπομείνας) bis ans Ende, der wird gerettet werden"[11] durch Lk 21,19: „in eurer Geduld (ἐν τῇ ὑπομονῇ ὑμῶν) werdet ihr eure Seele gewinnen" zu folgern, Lukas habe tugendhaftes Verhalten an die Stelle der eschatologischen Erwartungshaltung setzen wollen. Sowohl Markus als auch Lukas reflektieren den Märtyrertod des Christen;[12] aber gerade Lukas deutet mit dem Terminus κτήσεσθε (gewinnen), der auf eine Neuerwerbung anzuspielen scheint, an, daß die eschatologische Rettung mitbedacht werden muß.[13] Daß mit dem Begriff „Geduld" (ὑπομονή) das für Lukas charakteristische „weltliche Verhalten" angezeigt sei,[14] kann aus dem geringen Stellenbefund (Lk 8,15; 21,19) kaum gefolgert werden. Das 3. Evangelium befaßt sich zwar intensiver mit den Gefährdungen dieser Zeit, aber es ist nicht erlaubt, die eschatologischen Nebentöne einfach zu überhören.

Die Verbindung von Endgeschichte und Zeitgeschichte ist im übrigen nur die eine Seite, die Konzentration der gesamten Rede auf die mit dem Kommen des Menschensohnes beginnende Erlösung (V. 27f) ist die andere, weitaus gewichtigere Seite. Indem die Gemeinde ihren Blick auf den Menschensohn als den Repräsentanten des Endheils richtet, verlieren die Prüfungen dieser Zeit an Bedeutung. Lukas hat die endzeitlichen Wehen nicht nur durch den Gegenwartsbezug entschärft, er hat sie durch die Hervorhebung der Parusie christologisch entmächtigt. Das Thema der Rede sind weder die Wehen der Endzeit noch die Leiden dieser Zeit, sondern der Christus futurus.

---

[11] Vgl. die Deutung des Spruches bei *Pesch,* Naherwartungen 135–137; gegen *Conzelmann,* Mitte 120f.

[12] Für Markus vgl. *Pesch,* Naherwartungen 136.

[13] *Dautzenberg,* Sein Leben bewahren 64.

[14] Gegen *Geiger,* Endzeitreden 191f.

Die Problematik der Heilzeit zeigt sich auch in der unter dem Martyriumsgedanken gestalteten Passionserzählung des 3. Evangeliums. „Der leidende Heiland ist für Lukas der Mann Gottes, der von bösen Gewalten bekämpft im Dulden und Vergeben ein Vorbild unschuldigen Leidens wird."[15] Es ist nicht zu übersehen, daß der Sühnetodgedanke für die Gestaltung nicht bestimmend ist.[16] Aber es ist eben doch die Frage, ob das als ein Indiz für eine zurücktretende Eschatologie verstanden werden muß. Lukas hat die apokalyptischen Ereignisse, die den Tod Jesu als den Gerichtstag kennzeichnen,[17] zwar auf eine für ihn typische Weise umgearbeitet,[18] aber der eschatologische Hintergrund ist nicht vergessen. Die Bitte des reuigen Schächers Lk 23,42: „Jesus, gedenke meiner, wenn du in

---

[15] *M. Dibelius,* Die Formgeschichte des Evangeliums, Tübingen [4]1961, 202; *Ernst,* Lukas 645f.

[16] Es ist hier nicht der Ort, der Frage nach den Gründen für das Zurücktreten des Sühnetodgedankens nachzugehen. Das Nachfolgemotiv, die lukanische Konzeption einer „sich in Etappen verwirklichenden Heilsgeschichte" *(G. Schneider)* und die literarische Gattung der Passionserzählung machten es erforderlich, vom „Heil" anders zu sprechen als in ausgesprochenen Bekenntnissätzen (1 Kor 15,3f). „Heilsbedeutung hat nach Lukas Jesus selbst, sein Wirken als ganzes" *(Schneider,* Lukas 448f). Zudem ist das Wort von der Hingabe des Leibes „für euch" (Lk 22,19) in der Tradition des Einsetzungsberichtes bestens verankert (allerdings darf das Übergehen von Mk 10,45: „Lösepreis für die Vielen" auch nicht übersehen werden!), vgl. *Schürmann,* Einsetzungsbericht 118. Nimmt man hinzu, daß Apg 20,28 von der „Kirche Gottes, die er sich durch das Blut seines eigenen Sohnes erworben hat" spricht und daß Apg 3,13–15; 13,27–29 den Tod Jesu als von Gott gewolltes Leiden darstellen, so wird man kaum sagen können, daß der Sühnetodgedanke dem Lukas fremd war; vgl. *Kümmel,* Lukas in der Anklage 159.

[17] Die Sonnenfinsternis, das Zerreißen des Tempelvorhangs Lk 23,44f.

[18] *Ernst,* Lukas 638: „Daß die Kräfte des Kosmos trauern über das Leiden und Sterben des Sohnes Gottes, mag zusätzlich in dem Gedanken (nämlich des Gottesgerichtes) eingeflossen sein . . ., für Lk, der als einziger von einer Sonnenfinsternis spricht, steht jedoch die naturwissenschaftliche Deutung im Vordergrund". *J. Schreiber,* Theologie des Vertrauens. Eine redaktionsgeschichtliche Untersuchung des Markusevangeliums, Hamburg 1967, 59 Anm. 49: „Die Wunder werden bei Lk zum Instrument der Vorsehung Gottes".

dein Reich kommst" wird von gewichtigen Textzeugen[19] auf das Kommen Jesu in seiner endzeitlichen Basileia-Herrlichkeit bezogen.[20] Bei einer auf das Eingehen in das jenseitige Christusreich zielenden Deutung[21] haben sich lediglich die eschatologischen Perspektiven verschoben. Das zukünftige Reich (Gottes) ist infolge des Christusbezuges gegenwärtig schon erfahrbar, aber eben noch nicht voll realisiert. Das Christusereignis bestimmt das Basileia-Geschehen. Lukas hat zwar seinen eigenständigen theologischen Entwurf in die Passionserzählung eingearbeitet,[22] aber von einer „Polemik gegen die Eschatologie des Markus"[23] und von einer „Beseitigung der kosmisch-eschatologischen Elemente des markinischen Kreuzigungsberichtes"[24] kann nicht die Rede sein.

Im übrigen wäre hier auch die grundsätzliche Frage nach der endzeitlichen Qualität des Kreuzestodes Jesu zu stellen. Markus hat ja doch wohl durch die gezielte literarische Komposition – die Parusierede geht der Leidensgeschichte voraus – zu erkennen gegeben, daß er an zwei zeitlich voneinander verschiedene Ereignisse denkt.[25] Die Passion steht für ihn schon im Zeichen des Gerichtes –

---

[19] ℵ A C Θ Koine und die meisten: ἐν τῇ βασιλείᾳ σου = in deiner (eschatologischen) Königsherrschaft.

[20] *Weiß,* Predigt Jesu 114: „Auch innere Gründe legen ἐν τῇ βασιλείᾳ σου näher. Der Schächer, der in Jesus den Messias sieht, bittet, er solle seiner gedenken, wenn er, von Gott erhöht, in seiner Königsmajestät erscheinen werde. Jesus überbietet ihn, indem er ihm verheißt: Du sollst nicht solange warten, nein – heute noch sollst du mit mir im Paradiese sein", vgl. auch *Schneider,* Parusiegleichnisse 83. Da nach ἔρχομαι „εἰς" die einfachere Lesart ist, müsse man für ἐν τῇ βασιλείᾳ σου Ursprünglichkeit beanspruchen. Das εἰς könnte als spätere Angleichung an den räumlichen Paradiesgedanken von V. 43 verstanden werden.

[21] Ein solches Verständnis legt die Lesart εἰς τὴν βασιλείαν σου von P75 B L itaur, c, e, f, ff2, 1, r1 vg Orlat Hil nahe. Das Paradies wäre das Reich des Messias, vgl. Weish 10,10: Jakob schaut im Traum die βασιλεία τοῦ θεοῦ, d. h. den Himmel und seine Bewohner.

[22] Vgl. *Ernst,* Lukas 643–648.

[23] *Schreiber,* Theologie des Vertrauens 61.

[24] *Ders.,* aaO. 59.

[25] *W. Marxsen,* Einleitung in das Neue Testament. Eine Einführung in ihre Probleme, Gütersloh ³1964, 127, scheint an ein auf die Parusie ausgerichtetes ursprüngliches „Evangelium" zu denken, das erst nachträglich durch

Jesus ist der leidende Menschensohn –, aber sie ist eben *noch nicht* das Gericht. Die Annahme, das Markusevangelium habe die Parusie und die Auferstehung als Einheit gesehen,[26] erst Lukas habe diese urchristliche Konzeption korrigiert und uminterpretiert,[27] ist mehr als hypothetisch. Für die gesamte Tradition ist die Parusie ein vom Ostergeschehen zu trennendes Geschehen. Lukas hat aufgrund seiner Zeiterfahrung diesen heilsgeschichtlichen Sachverhalt deutlicher herausgearbeitet.

---

die (übernommene) Passionsgeschichte ergänzt und umgestaltet worden ist. Als direktes Gerichtsgeschehen deutet *Schreiber,* Theologie des Vertrauens 38f, den Tod Jesu.

[26] Zuerst vertreten von *A. Schweitzer,* Geschichte der Leben-Jesu-Forschung, Tübingen [6]1951, 414: „Auferstehung, Verwandlung und Parusie des Menschensohnes gehören zusammen und folgen in einem von sich aus ablaufenden Akt aufeinander". *Ders.,* aaO. 443 Anm. 1: „Fraglich bleibt nur, wie Jesus sich die Aufeinanderfolge von Sterben, Auferstehen und Kommen als Menschensohn denkt". Schweitzer hält es grundsätzlich für denkbar, daß Jesus an einen einzigen Akt, der zeitlich mit der Todesstunde zusammenfalle, gedacht habe. „Wahrscheinlicher ist, daß Jesus Sterben, Auferstehen und Kommen als Menschensohn trotz ihrer inneren Zusammengehörigkeit als drei gesonderte Akte dachte".
Ders., Die Mystik des Apostels Paulus, Tübingen [2]1954, 61. Desgleichen *W. Michaelis,* Täufer, Jesus, Urgemeinde. Die Predigt vom Reiche Gottes vor und nach Pfingsten, Gütersloh 1928, 100ff. Zur Darstellung des Problems vgl. *Kümmel,* Verheißung 59–76. Ferner *E. Lohmeyer,* Galiläa und Jerusalem in den Evangelien, Göttingen 1936, 10ff. Nach ihm auch *H. W. Bartsch,* Wachet aber zu jeder Zeit! Entwurf einer Auslegung des Lukasevangeliums, Hamburg–Bergstedt 1963, 8: „Tatsächlich lassen sich nicht nur in den von E. Lohmeyer analysierten Erscheinungsberichten, sondern ebenfalls in der gesamten Leidensgeschichte Hinweise für eine solche am Anfang der urchristlichen Zeugnisse stehenden Anschauung beibringen". Etwa gleichzeitig mit E. Lohmeyer legte *C. H. Dodd,* The Parables, sein Modell der realized eschatology vor. Zu unserer Frage: "The term ‚The Son of Man' is in its associations eschatological. Its use in these predictions seems to indicate that both the death and the resurrection of Jesus are ‚eschatological' events" (97).

[27] *Bartsch,* Wachet aber 9. *Marxsen,* Einleitung 127, deutet richtiger für Markus eine zeitliche Distanz zwischen Kreuz und Parusie an.

1.2.7 Zu These 8: An die Stelle der allgemeinen Eschatologie ist die individuelle Eschatologie getreten

Die individuelle Eschatologie drängt sich bei Lukas ohne Zweifel nach vorne. J. Dupont[1] glaubt sagen zu können, „daß sie sich gewissermaßen von der Vormundschaft befreit, welche die kollektive Eschatologie im Rahmen der damaligen jüdischen Vorstellungen auf sie ausübte". Ob dem so ist, wird eine Überprüfung der einschlägigen Texte zeigen müssen.[2]

a) Lk 12,16–21

„Er sagte aber zu ihnen ein Gleichnis, indem er sprach: eines reichen Menschen Land hatte gut getragen. Und er überlegte bei sich, indem er sprach: was soll ich machen? Denn ich habe nicht, wo ich meine Früchte sammeln kann. Und er sagte: dieses werde ich tun: ich werde meine Scheunen abreißen und größere bauen, und dort werde ich all den Weizen und meine Güter sammeln, und ich werde zu meiner Seele sagen: Seele, du hast viele Güter liegen für viele Jahre. Ruhe aus, iß, trink, sei fröhlich. Es sprach aber Gott zu ihm: Tor, in dieser Nacht werden sie deine Seele von dir fordern. Was du aber bereitet hast, wem wird es gehören? So geht es dem, der für sich Schätze sammelt und nicht bei Gott reich ist."

Die Erzählung vom törichten Reichen ist nach einer weitverbreiteten Meinung[3] auf den individuellen Tod hin geschrieben. Lukas überliefert im Rahmen einer umfangreichen Belehrung über das Thema „die Güter dieser Welt" (12,13–21 S: Warnung vor der Habsucht; 12,22–34 Q: vom Sorgen und vom Schätzesammeln) ein Gleichnis, das als Illustration eines Weisheitsspruches nach Art des vorausgehenden V. 15: „seht zu und hütet euch vor aller Habsucht, denn nicht hat jemand sein Leben durch den Überfluß aus seinem

---

[1] *Dupont,* Individuelle Eschatologie 47.

[2] Vgl. die Behandlung des Problems bei *Schneider,* Parusiegleichnisse 78–84.

[3] *Dupont,* Individuelle Eschatologie 38f; *E. Neuhäusler,* Anspruch und Antwort Gottes, Düsseldorf 1962, 171; *Degenhardt,* Lukas 93; *Pesch,* Zur Exegese von Mt 6,19–31 und Lk 12,33–34, 374; *Schneider,* Parusiegleichnisse 80.

Besitz"[4] oder als Ankündigung des nahe bevorstehenden Endgerichts[5] gelesen werden kann. Für das Verständnis des Lukas ist die (redaktionelle?) Nutzanwendung V. 21 von entscheidender Bedeutung. Das „reich-Sein bei Gott" korrespondiert sachlich mit V. 33: „macht euch . . . einen unerschöpflichen Schatz in den Himmeln".

Das anschließende Wort vom Dieb und von der Motte schlägt die Brücke zu dem sachverwandten Mattäusspruch der Bergpredigt: „sammelt euch nicht Schätze auf der Erde" (6,19), dem das Lukaswort „für sich selbst Schätze sammeln" entspricht.[6] Es ist die Frage, ob mit dieser allgemeinen Mahnung, welche an die bleibenden und den Tod überdauernden Verdienste erinnern will, der Sinn des redaktionellen Zusatzes V. 21 schon erschöpft ist, oder ob nicht der Almosengedanke von V. 33 mit hineinspielt. „Der irdische Besitz wird nur dann verurteilt, wenn er zweckentfremdet, d. h. egoistisch mißbraucht und nicht, wie es das ethische Gebot Jesu fordert, für die Verwirklichung der Nächstenliebe eingesetzt wird. Almosen und Werke der Barmherzigkeit sind die Reichtümer, die vor Gott zählen."[7] Man wird annehmen dürfen, daß hier in der Tat aktuelle soziale Fragen der Lukasgemeinde angesprochen und im Sinne der bekannten Almosenfrömmigkeit beantwortet werden. Aber die darüber hinausgehende Schlußfolgerung auf eine den persönlichen Tod des einzelnen betreffende Situation, die für den gesamten Abschnitt V. 13–34 vor-

---

[4] Jüdische Beispiele Hen 97,8ff; Sir hebr 11,18f. Formgeschichtlich würde unsere Parabel als Beispielerzählung einzuordnen sein, vgl. *Bultmann,* Geschichte 64.

[5] *Jeremias,* Gleichnisse 165.

[6] Zu den Beziehungen zwischen Lk 12,33f und Mt 6,19–21 vgl. *Pesch,* Zur Exegese von Mt 6,19–21 und Lk 12,33–34, 356–378. Während Pesch sich für die Ursprünglichkeit der Mattäusfassung entscheidet und annimmt, Lukas habe den ersten Teil eines symmetrisch gestalteten Weisheitsspruchs „sammelt euch nicht Schätze auf der Erde" (Mt 6,19) aus nicht mehr ganz klar erkennbaren Gründen fallengelassen, vermutet *Degenhardt,* Lukas 88f, die Mattäustradition habe sekundär als Gegenstück zu „Schatz in den Himmeln" (Lk 12,33b) die Wendung „Schätze auf der Erde" (Mt 6,19) hinzugefügt. Sowohl *Pesch,* aaO. 358f, als auch *Degenhardt,* aaO. 89, schreiben Lk 12,33a wegen der lukanischen Lieblingswörter „Besitz" ὑπάρχοντα und „Almosen" ἐλεημοσύνη der Redaktion zu.

[7] *Ernst,* Lukas 400.

ausgesetzt und mit der fragwürdigen Begriffsanalogie „unerschöpf-
lich" (ἀνέκλειπτος) V. 33 – „zu Ende gehen" (ἐκλείπω; 16,9,
hier angeblich auf den persönlichen Tod zu beziehen) untermauert
wird, ist nicht überzeugend.[8]

E. Neuhäusler[9] scheint den Sachverhalt richtiger zu beurteilen, wenn
er vorsichtig ein mögliches Nachdenken über die Vergeltung nach
dem persönlichen Tod in Erwägung zieht. Degenhardt[10] spricht von
einer „Tendenz . . ., die auch den andern Synoptikern nicht fremd ist
und die offenbar Jesu Anliegen gewesen ist". Wenn damit auf eine
Einordnung der individual-eschatologischen „Nebentöne" in die
nach wie vor dominierende allgemein-eschatologische Verkündigung
angedeutet werden soll, kann dem zugestimmt werden.

Die behauptete Beziehung zwischen 12,33f und 12,21,[11] welche als
Stütze für die individual-eschatologische Deutung bemüht wird,
darf nicht überstrapaziert werden. Es liegt weitaus näher, 12,33f
über das Stichwort „Dieb" (κλέπτης) mit V. 39 und dem daran
anschließenden Aufruf zur Bereitschaft für den kommenden Menschensohn (V. 40) in Verbindung zu bringen. Es ergäbe sich in
diesem Fall ein deutlicher allgemein-eschatologischer Bezug, der auf
das kommende Gericht abhebt. Trotzdem: eine Tendenz zur individuellen Eschatologie kann – um es vorsichtig zu sagen – nicht von der
Hand gewiesen werden. Sie zeigt sich in dem Gegensatz zwischen der
Planung des törichten Mannes: „Seele, du hast viele Güter liegen *für
viele Jahre*" (V. 19) – „Tor, *in dieser Nacht* werden sie deine Seele von dir
fordern" (V. 20), auf den die ganze Erzählung ausgerichtet ist.

Für die Beurteilung der Vorgeschichte des Gleichnisses kann die
kurze Parallele im Thomasevangelium[12] hilfreich sein. Möglicher-

---

8 So *Dupont,* Individuelle Eschatologie 39.
9 *Neuhäusler,* Anspruch und Antwort Gottes 171.
10 *Degenhardt,* Lukas 93.
11 *Degenhardt,* Lukas 93: „Lk 12,33f steht im Evangelium als Schluß des
   Abschnitts 12,13–34 und zugleich in Parallele zum Schluß des ersten
   Teilabschnitts V. 21. Beide Schlußsätze V. 21 und V. 33f enthalten eine
   Aufforderung zur Wohltätigkeit".
12 ThomEv Logion 63: „Es war ein reicher Mann, der viele Güter hatte.
   Er sprach: Ich werde meine Güter gebrauchen, um zu säen und zu
   ernten, zu pflanzen und meine Scheunen zu füllen mit Frucht, damit

weise gab es eine gemeinsame Vorlage,[13] die an das Gericht erinnern wollte. Lukas hätte sie dann individual-eschatologisch akzentuiert.

b) Lk 12,4f

„Ich sage euch aber, meinen Freunden: fürchtet euch nicht vor denen, die den Leib töten und danach nichts weiter tun können. Ich werde euch aber zeigen, wen ihr fürchten sollt: fürchtet den, der nach dem Töten Vollmacht hat, in die Hölle zu werfen."

Es mag noch angehen, mit J. Dupont[14] aus den redaktionellen Zusätzen bzw. „Glättungen" des Lukas zu der hinter Lk 12,4f = Mt 10,28 stehenden Q-Vorlage[15] eine Verdeutlichung in Richtung auf die individuelle Eschatologie herauszuhören. Das gilt insbesondere für das „danach" (μετὰ ταῦτα) Lk 12,4, das auf die Frage, was nach dem Tod kommt, eingehen könnte. In die gleiche Richtung deutet auch die Entschärfung der dichotomischen Formel „Leib-Seele" bzw. „Seele-Leib" (Mt 10,28), die zu Mißverständnissen Anlaß geben könnte. Lukas hebt auf Töten des Leibes (V. 4) = irdische Vernichtung

---

ich nicht an etwas Mangel leide. Das ist es, was er dachte in seinem Herzen. Und in jener Nacht starb er. Wer Ohren hat, möge hören!".

[13] *O. Cullmann,* Das Thomasevangelium und die Frage nach dem Alter der in ihm enthaltenen Tradition: ThLZ 85 (1960) 321–334.
Anders *Schürmann,* Thomasevangelium 228–247. Der Einwand von Schürmann, Lk 12,16–20 müsse zusammen mit Lk 12, 13f. 15.21.22–34 „als von Matthäus ausgelassenes Q-Gut" verstanden werden, überzeugt nicht. Vgl. *Ernst,* Lukas 396: „Andererseits deutet das Stichwort ,Reichtum' auf das spezifische Verkündigungsanliegen der hypothetischen Sonderquelle des Lk hin, die im apokryphen ThomEv (vgl. Lk 12,13 mit Nr. 72; Lk 12,16–21 mit Nr. 63) vielleicht noch greifbar ist (vgl. T. W. Manson, Sayings, 270: 'The passage vv. 13–21 is a self-contained unit, which Lk. has skilfully inserted between two Q-passages')".

[14] *Dupont,* Individuelle Eschatologie 41.

[15] *K. Köhler,* Zu Lc 12,4.5: ZNW 18 (1917/18) 140f, der Lk 12,4b (einschließlich σῶμα) und V. 5 für sekundäre Ergänzung hält. Ähnlich *Hoffmann,* Studien 328: „Mt 10,28b ist wahrscheinlich ursprünglicher als Lk 12,5". Liegt Mt 10,28 „schon ein Denken vor, in dem sich der Mensch von seinem Leibe distanzieren kann"? So *E. Schweizer,* σῶμα, in: ThWNT VII 1055. Anders jedoch *Kümmel,* Das Bild des Menschen 17: „Ganz ähnlich will auch Matth. 10,28 ... nicht den Wert der unsterblichen Seele bezeichnen, sondern betonen, daß allein Gott außer dem irdischen auch das himmlische Leben vernichten kann".

und „in die Hölle werfen" (V. 5) = ewige Vernichtung ab und wahrt auf diese Weise sein monistisches Menschenbild. Der anthropologische Aspekt ist freilich dem eschatologischen untergeordnet. Der Satz zielt auf die Höllenstrafe ab. Es ist die Frage, ob hier über den persönlichen Tod oder über den allgemeinen Verdammungszustand reflektiert wird. Für beide Möglichkeiten gibt es gute Gründe. Die beiden temporalen Aussagen „danach" (μετὰ ταῦτα, V. 4) und „nach dem Töten" (μετὰ τὸ ἀποκτεῖναι, V. 5) müssen nicht zwingend im Sinne eines Geschehensablaufs verstanden werden. Es ist vorstellbar, daß Lukas eine erzählerische Abfolge gestalten wollte. Ein individual-eschatologischer „Einschlag" ist möglich, aber nicht sicher nachweisbar.

Aus diesem Grunde bestehen auch ganz starke Bedenken bezüglich einer individual-eschatologischen Deutung des nachfolgenden Wortes vom Bekennen und Verleugnen des Menschensohnes (Lk 12,8f).[16] Der Menschensohntitel und die „Engel Gottes" weisen unverkennbar auf das Endgericht hin.

c) Lk 16,1–9

„Er sprach aber zu den Jüngern: es war ein reicher Mann, der hatte einen Verwalter, und dieser wurde bei ihm verklagt, daß er sein Vermögen verschleudere. Und er rief ihn und sagte ihm: was höre ich da von dir? Lege Rechenschaft ab von deiner Verwaltung; denn du kannst nicht länger Verwalter sein. Es sagte aber bei sich selbst der Verwalter: was soll ich tun, da mir mein Herr das Verwalteramt nimmt? Graben kann ich nicht, zu betteln schäme ich mich. Ich habe begriffen, was ich tun muß, damit sie mich aufnehmen in ihre Häuser, wenn ich aus meinem Verwalteramt entlassen werde. Und er rief zu sich einen jeden der Schuldner seines Herrn und sprach zum ersten: wieviel schuldest du meinem Herrn? Der aber sagte: hundert Bath Öl. Der aber sagte ihm: nimm deinen Schuldschein, setz dich hin und schreibe schnell: fünfzig. Darauf sprach er zu einem anderen: du aber, wieviel schuldest du? Der aber sprach: hundert Kor Weizen. Er sagte

---

[16] Auch *Dupont,* aaO. 41, legt sich nicht eindeutig fest: „Daß die Verse 8–9 in der gleichen Optik verstanden werden müssen, läßt sich nicht mit der gleichen Sicherheit behaupten".

ihm: nimm deinen Schuldschein und schreibe: achtzig. Und es lobte der Herr den ungerechten Verwalter, weil er klug gehandelt hatte. Denn die Söhne dieser Welt sind klüger als die Söhne des Lichtes gegenüber ihrem eigenen Geschlecht. Und euch sage ich: macht euch Freunde mit dem Mammon der Ungerechtigkeit, damit sie euch, wenn es zu Ende geht, aufnehmen in die ewigen Hütten."

Das Sondergutgleichnis vom ungerechten Verwalter hat eine komplizierte Vorgeschichte, in deren Verlauf verschiedene Verkündigungsinhalte ineinandergeflossen sind.[17] Die Zielrichtung der ursprünglichen Parabel liegt in dem Gedanken: in einer kritischen Situation – wahrscheinlich in der Erwartung des Endgerichtes – muß man sich rasch entscheiden und alles auf eine Karte setzen. Das gewählte Beispiel stammt nicht gerade aus dem allerfeinsten Milieu, aber hier geht es nicht um ethische Unterweisung, sondern um letzte Mahnungen „angesichts der bevorstehenden Katastrophe"[18]. Möglicherweise hat Jesus auf einen konkreten Skandal, der „in aller Munde" war, zurückgreifen können; die anschauliche Schilderung legt eine solche Vermutung nahe.

Das eigentliche Bild endet bereits mit V. 7. Während V. 8a wegen des Kyrios-Namens und der Übereinstimmung mit der Sinnspitze der Parabel als eine Deutung Jesu zu verstehen ist,[19] sind V. 8b und 9 sekundärer Zusatz; im ersten Fall soll das Urteil Jesu vor möglichen Mißverständnissen geschützt werden,[20] im zweiten geht es um aktuelle Probleme der Gemeinde: das irdische Gut – hier „Mammon der Ungerechtigkeit" genannt – bleibt immer ein Unwert. Im Almosengeben könnte es allenfalls noch einen positiven Sinn bekommen. „Die Freunde sind die Armen, denen Almosen gegeben wurden; im Zusammenhang mit der Bildhälfte der Parabel treten sie an die Stelle der ‚unvergänglichen Schätze', von denen 12,33 die Rede war."[21]

---

[17] Zur Auslegungsgeschichte vgl. *Degenhardt,* Lukas 115 Anm. 1.

[18] *Jeremias,* Gleichnisse 42f.

[19] Anders *Degenhardt,* Lukas 116, der annimmt, daß der Herr des Gleichnisses das anerkennende Wort über den betrügerischen Verwalter spricht.

[20] *Degenhardt,* aaO. 119: „Der Vers 8b ist die erste Deutung der christlichen Gemeinde, aber schon vor Lukas formuliert".

[21] *Dupont,* Individuelle Eschatologie 42.

Für die anstehende Fragestellung nach der individuellen Eschatologie ist V. 9b: „damit sie euch, wenn es zu Ende geht, aufnehmen in die ewigen Hütten" (ἵνα ὅταν ἐκλίπῃ δέξωνται ὑμᾶς εἰς τὰς αἰωνίους σκηνάς) näher zu prüfen. Auf den Augenblick des Todes deutet klar die Lesart „wenn ihr weggeht" (ἐκλίπητε) Koine, 33 pm lat hin. Diese Begriffsdeutung kann sich auf eine Reihe antiker und alttestamentlich-jüdischer Autoren[22] stützen. Im größeren Rahmen des Bildes erhält die Lesart ἐκλίπῃ P[75] 𝔖 A D Θ 0178 λ 69 al a e l sy sa bo, die von den modernen Textausgaben bevorzugt wird, die Bedeutung von „Zu-Ende-Gehen des Geldes"[23]. „Weil der Mammon trügerisch ist und als solcher bezeichnet wird, könnte hier gut der Gedanke gemeint sein: Die Jünger Jesu geben in der Nachfolge Jesu ihren Besitz durch Wohltätigkeit weg, der Mammon geht zu Ende; sie haben keine irdische Wohnung mehr, aber man wird sie in die ewigen Wohnungen aufnehmen, das heißt: Diejenigen, die ihr Vermögen weggegeben haben, werden das Heil erlangen."[24] Unter diesem Verständnis könnte man eine allgemein-eschatologische Ausrichtung des Gleichnisses erwägen.[25] Unser Gleichnis wäre also nicht nur in der Tradition, sondern auch in der Redaktion als eine ernste Mahnung im Hinblick auf das bevorstehende Gericht gedacht. Das Almosengeben wäre nicht durch den Lohngedanken, sondern durch das auf den Menschen zukommende Reich Gottes motiviert. Der aller Voraussicht nach redaktionelle V. 9 läßt allerdings eher an die Almosenpraxis, welche eine Beziehung zwischen den Freunden im Himmel und den Armen auf Erden herstellt, denken. Die Möglichkeit einer individual-eschatologischen Akzentuierung kann in diesem Fall nicht völlig ausgeschlossen wer-

---

[22] Plato, Leg. 6p. 759 E. 9p. 856 E; Xenophon, Cyropaedia 8,7,26; Arrian, anab. 6,10,2; P. Oxyr. 497,15; Gen 49,33; Ps 17,38; Tob 14,11; Weish 5,13; Flavius Josephus, Bell. jud. 4,68; Ant. 2,184; TestRub 1,4.

[23] In dieser Bedeutung auch Xenophon, Hellenica I 5,3. Pubblicazioni della Società Italiana: Papiri Greci et Latini I-XI 1912–1935 (XIV 1957) 495,16 [258v]: ἡμῖν τὸ ἐφόδιον ἐγλέλοιπεν; 1 Makk 3,29.

[24] *Degenhardt,* Lukas 123.

[25] So *Jeremias,* Gleichnisse 43 Anm. 4: „Wahrscheinlich eschatologisch zu verstehen, vgl. Zeph. 1,18: ‚Auch ihr Silber und ihr Gold kann sie nicht retten am Zornestage des Herrn'".

den,[26] obwohl die Tendenzen der Tradition und der Redaktion in eine andere Richtung gehen.

d) Lk 16,19–31
Das Gleichnis vom reichen Prasser und vom armen Lazarus.

Die zum Sondergut des Lukas gehörende Perikope vom reichen Prasser und vom armen Lazarus setzt, wie Dupont[27] richtig darstellt, „die Umkehrung der Situation im Augenblick des Todes unabhängig von jeglichem eschatologischen Geschehen", etwa einem Zwischenzustand, voraus. Die Verwendung des Begriffs „Leben" für die irdische Existenz im Unterschied zu dem „Jetzt" des neuen Daseins in der vollkommenen Seligkeit bzw. Strafe (V. 25) deutet in der Tat auf eine Verschiebung der eschatologischen Perspektiven im Sinne von „Diesseits-Jenseits" hin. J. Weiß[28] bemerkt indes zu Recht, daß Lazarus – und im gleichen Sinne auch der reuige Schächer – nur einer der besonders Bevorzugten ist, die „ihre Wohnungen haben unter den Fittigen des Herrn der Geister" (Hen 39,6.7) und die dabei sein werden, wenn die „Gemeinde der Gerechten erscheinen wird und die Sünder für ihre Sünden gerichtet und von dem Angesicht der Erde vertrieben werden" und wenn dann „der Gerechte erscheinen wird den Gerechten und Auserwählten, die auf Erden wohnen" (Hen 38,1). Auch Paulus hätte schon neben der streng futurisch orientierten Eschatologie Aussagen über das im Augenblick des persönlichen Todes gegenwärtige Christusheil gemacht (2 Kor 5,4–10; Phil 1,23). Die Lazarusperikope des Lukasevangeliums gibt für eine Neuorientierung der Eschatologie demnach nichts her.

---

[26] *Dupont,* Individuelle Eschatologie 42, bezieht den Satz auf V. 4, der von dem Zeitpunkt der Amtsenthebung (d. h. der Zeitpunkt, an dem das Geld ausgeht) spricht: „das Bild paßt weniger gut zum Letzten Gericht als zum individuellen Tod". Das nachfolgende Gleichnis vom reichen Prasser und armen Lazarus (16,19–31), das vom Tode handelt, lege auch hier ein Nachdenken im gleichen Sinne nahe.

[27] *Dupont,* Individuelle Eschatologie 43f.

[28] *Weiß,* Predigt Jesu 114.

e) Lk 23,42f

„Jesus, gedenke meiner, wenn du in dein Reich kommst. Und er sagte ihm: Amen, ich sage dir, heute wirst du mit mir im Paradies sein".
Dieser Text wurde bereits im Zusammenhang mit dem Problem der präsentischen und futurischen Eschatologie besprochen. Wir können uns deshalb auf die Frage, ob hier Aussagen über das Schicksal des Gestorbenen nach dem persönlichen Tode gemacht werden, beschränken. Auf die textkritischen Fragen[29] wollen wir uns hier nicht noch einmal einlassen. Es läßt sich kaum bezweifeln, daß die Antwort Jesu, ob die vorausgehende Bitte nun im Sinne des gegenwärtigen Christusreiches oder der zukünftigen Gottesherrschaft zu deuten ist – in jedem Fall individual-eschatologische Akzente setzt.[30] Aber damit ist die tiefere Absicht der Aussage noch nicht getroffen. Der Verfasser will keine Jenseitslehre entwickeln, sondern das Heil zusprechen. Wir haben es bei der Antwort Jesu mit einer emphatischen Aussage zu tun. Es geht nicht um die Terminfrage, sondern um die Christusgemeinschaft, die bereits im Augenblick der Bekehrung und nicht erst bei der Parusie (vgl. 1 Thess 4,17) verwirklicht wird. Lukas hat den jüdischen Parusiegedanken[31] zwar übernommen, aber er hat ihm einen eindeutig christologischen Bezug gegeben: das „mit ihm" ist jetzt das Paradies.

Zusammenfassend läßt sich sagen, daß sich eine Individualisierung der

---

[29] Ist die Lesart: ἐν τῇ βασιλείᾳ σου, die an die zukünftige Herrschaft Gottes – hier allerdings auf den wiederkommenden Jesus bezogen – denken läßt, im Recht, oder verdient die auf das gegenwärtige Messiasreich abhebende Lesart εἰς τὴν βασιλείαν σου den Vorzug? Im ersten Fall wäre ein Kontrast zu der nachfolgenden Antwort Jesu: „heute wirst du ..." beabsichtigt: dem Kommen in der Parusie würde in diesem Falle das „Heute" der individuellen Vollendung entgegengestellt.

[30] *Schneider,* Parusiegleichnisse 83, macht auf drei, den Abschnitt bestimmende Gesichtspunkte aufmerksam: 1. Das „heute noch" des Todestages, das bewußt von der zukünftigen Parusie (die Lesart ἐν τῇ βασιλείᾳ σου wird vorgezogen) abgesetzt sei; 2. Das „Amen, ich sage dir" setze individuelle Akzente; 3. Lukas spricht in dem Verheißungswort nicht von der Basileia Jesu, sondern vom Paradies. Die räumliche Vorstellung ist klar ausgeprägt.

[31] Vgl. *P. Volz,* Die Eschatologie der jüdischen Gemeinde im neutesta-

Eschatologie bei Lukas zwar andeutet, eine systematische Reflexion liegt jedoch nicht vor. Es kann auf keinen Fall aus den behandelten Stellen gefolgert werden, die individuelle Eschatologie habe die allgemeine verdrängt, sie hat sich nicht einmal gleichwertig neben jene gestellt. Wo sich eine Entwicklung in dieser Richtung abzeichnet, schiebt sich die Christologie bedeutsam nach vorne. Christus ist nicht nur in einem allgemeinen und grundsätzlichen Sinne der Bringer des Heils, sondern auch der Vollender des individuellen Lebens. Die eschatologische Christusgemeinschaft ist auf die persönliche Existenz des einzelnen bezogen. „Der Tod wird gewissermaßen zur ‚Parusie' für den einzelnen."[32]

SCHLUSSFOLGERUNG ZU ABSCHNITT 1: DAS MODELL DER HEILS-GESCHICHTE

Es hat sich gezeigt, daß Lukas die sich dehnende Zeit stärker reflektiert und den Versuch unternimmt, das eschatologische Heil, das von Anfang an nie völlig „zeitlos" gewesen ist, den neuen Gegebenheiten anzupassen. Die entfaltete Heilsgeschichte ist in starkem Maße eine Christusgeschichte.[33] Das Heil ist in Christus und mit Christus gekommen, es ist anwesend im Wirken des Geistes und es wird beim Wiederkommen des Christus seine Vollendung finden. „Alle heilsgeschichtlichen Perioden seit der ersten Verkündigung des Gottesreiches sind durch Jesus Christus zusammengehalten. So würde man besser nicht von der ‚Mitte der Zeit' sprechen, sondern von der ‚Mitte

---

mentlichen Zeitalter. Nach den Quellen der rabbinischen, apokalyptischen und apokryphen Literatur, Tübingen [2]1934, 413–418. Das Judentum hat keine einheitliche und in sich abgerundete Vorstellung. Das Paradies gehört teils auf die Erde, teils in den Himmel, oder auch zwischen Himmel und Erde; es ist gegenwärtig, aber auch zukünftig; nach den Vorstellungen des Buches Genesis ist es Wohnung der ersten Menschen, in der spätjüdischen Literatur, insbesondere in den Henochbüchern, ist das Paradies Wohnung für die Auserwählten und Gerechten. Wie sehr Lukas mit solchen Vorstellungen vertraut war, zeigt Lk 16,19–31.

[32] *Schneider*, Parusiegleichnisse 82.

[33] *Cullmann*, Christus und die Zeit 104–110. Cullmann spricht von der „Heilslinie als Christuslinie".

des Kerygmas', die Jesus Christus in allen Perioden der von ihm heraufgeführten Heilszeit ist."[34]

2. DIE JENSEITIGKEIT DES HEILS AN STELLE DER HEILSZUKUNFT?

Der zweite bedeutende Entwurf zum Problem der lukanischen Eschatologie argumentiert exegetisch mit der angeblichen Überlagerung der Tod-Auferstehungs(Parusie)-Vorstellung durch das von Lukas neu eingeführte oder doch stark betonte Entrückungsmodell,[1] also: vertikale Eschatologie statt horizontale Eschatologie, und der Verdrängung oder Ergänzung der allgemeinen Eschatologie durch die individuelle Eschatologie.[2] Daraus ergibt sich aber notwendigerweise die Frage nach den philosophischen Grundvorstellungen. Steht Lukas unter dem Einfluß der hellenistischen Kosmologie und Anthropologie? Hat er die zeitlich-futurische Erstreckung der frühchristlichen Eschatologie durch das räumliche Modell „oben –

---

[34] *R. Schnackenburg,* Christologie des Neuen Testamentes, in: Mysterium Salutis 3,1, Einsiedeln–Zürich–Köln 1970, 301.

[1] *Flender,* Heil und Geschichte 23: „An die Stelle der Äonenwende, die bei Paulus mit der Auferstehung Jesu eingetreten ist, tritt bei Lukas der Übertritt in die dieser Welt gleichzeitige himmlische Welt. Die Auferstehung Jesu wird ihres kosmischen, den neuen Äon herbeiführenden Charakters entkleidet und gibt diesen kosmischen Rahmen an die Erhöhungsvorstellung ab. Fallen für Paulus Auferstehung und Erhöhung zusammen, so haben beide für Lukas je ihre besondere Funktion". *D. Georgi,* Der vorpaulinische Hymnus Phil 2,6–11, in: Zeit und Geschichte. Dankesgabe an Rudolf Bultmann (Hrsg. Ernst Dinkler), Tübingen 1964, 263–293, hält die Entrückungsvorstellung für älteste christologische Tradition, die zeitlich noch vor der Auferstehungsvorstellung anzusetzen sei.

[2] Zu der von *C. K. Barrett,* Stephen and the Son of Man, in: Apophoreta. Festschrift für E. Haenchen (BZNW 30), Berlin 1964, 32–38 bes. 35f, vorgenommenen Deutung der Stephanusvision auf die individuelle Eschatologie: „. . . Luke saw that for the individual Christian death was truly *an* ἔσχατον (though not *the* ἔσχατον); it was therefore not wrong to think of it . . . in eschatological terms. Thus the death of each Christian would be marked by what we may term a private and personal *parousia* of the Son of man" – vgl. *Ellis,* Funktion 390 Anm. 11: „Diese Interpretation von Apg 7 stellt allerdings gewisse Probleme. Er

unten", „Diesseits – Jenseits" ersetzt oder vertritt er frühgnostisches Gedankengut, das möglicherweise in Kreisen der hellenistischen Urgemeinde beheimatet war?[3] Wenn das der Fall ist, wird hier nicht mit der Verlagerung des Heils in ein Jenseits und mit der damit verbundenen „Verweltlichung" des „Diesseits" jene gnostische Transzendenzlehre vorbereitet, welche die christliche Erlösung als Befreiung der Seele vom Leib versteht?[4]

2.1 AUFERSTEHUNG ODER ENTRÜCKUNG?

Die Religionsgeschichte kennt in der Tat eine Reihe von Entrückungsmodellen, auf die Lukas zurückgreifen konnte. Es ist hier nicht der Ort, um auf die Texte in allen Einzelheiten einzugehen.[5]

---

stens endet die Erzählung nicht mit der Bemerkung, Stephanus sei ‚von ihnen geschieden' oder sei ‚in den Himmel entrückt', sondern mit der Aussage, er sei ‚entschlafen' ... Wichtiger noch ist, daß die Vision in Apg 7 nicht im Kontext der Todesszene, sondern im Kontext der Redeszene steht ... Im Kontext der Rede versteht man die Vision am besten als Bezeugung oder Bekräftigung des Urteils des Stephanus über den Tempelkult und über das Volk, ein Urteil, das nicht sein eigenes ist, sondern das des richtenden Menschensohnes, der kein anderer als Jesus ist (Apg 7,55f.)".

[3] *Kümmel,* Theologie 107f, erkennt in der Vorstellung eines von Gott gesandten Gottessohnes neben jüdisch-weisheitlichen auch gnostische Einflüsse. „Nun begegnet aber in der Umwelt des frühen Christentums auch eine religiöse Gedankenwelt, in der im Rahmen eines Dualismus von Himmel und Erde, von oben und unten, von Licht und Finsternis in verschiedener Form die Gestalt des aus der Welt des Lichtes kommenden ‚Gesandten' begegnet, der die Erkenntnis (Gnosis) bringt und die Seinen aus der Welt der Finsternis in die Welt des Lichtes ruft".

[4] „Die griechische Anthropologie ist unter dem Einfluß platonischer Gedanken durch einen deutlichen Leib-Geist-Dualismus charakterisiert. Der Mensch ist hiernach zusammengesetzt aus Leib und Seele, aus Materie und Geist. Dabei ist der Leib das gegenüber der Seele Niedrigere, ja, das die Seele und ihre Tätigkeit Hemmende, Fesselnde und Versklavende". *G. Greshake,* Das Verhältnis „Unsterblichkeit der Seele" und „Auferstehung des Leibes" in problemgeschichtlicher Sicht, in: *G. Greshake/G. Lohfink,* Naherwartung, Auferstehung, Unsterblichkeit, Freiburg–Basel–Wien 1975, 83.

Die bekanntesten Beispiele sind in der jüdischen Literatur die Himmelfahrt des Elija (2 Kön 2,1–18), die Entrückung des Henoch (Gen 5,24; slavHen 67b), sowie die des Esdra (4 Esd 14,9; 14,13f), des Baruch (syrBar 76,2) und Mose (Siphre Dtn 34,5 [§ 357]; bSota 13b; Flavius Josephus, Ant. 4,326). Im hellenistischen und römischen Bereich sind am bedeutendsten die Entrückung des Herakles,[6] des Empedokles,[7] des Apollonius[8] und des Romulus.[9] „Wir müssen . . . davon ausgehen, daß das Entrückungsschema damals als Vorstellungsmodell und Erzählform einfach zur Verfügung stand und sich ganz von selbst anbot, wenn das Lebensende eines großen Menschen zu schildern war."[10]

Lukas hat mit den beiden Himmelfahrtserzählungen Lk 24,50–53 und Apg 1,9–11 ohne Zweifel hier Anleihen gemacht. Die Zurückhaltung in der Darstellung des Geschehens und der Verzicht auf ausmalende Details deuten darauf hin, daß es ihm nicht um den Vorgang an sich geht, erst recht nicht um die Vorstellung einer durch die Himmelfahrt eingeleiteten himmlischen Existenzweise, sondern vielmehr um den Gedanken der sichtbaren und endgültigen Trennung.[11] Erst die Gnosis hat wohl das himmliche Pleroma bewußt reflektiert und die Erhöhung als Eintritt in diesen Bereich verstanden.[12]

Ob die Entrückungs- oder Erhöhungsvorstellung bei Lukas ein mit der Auferstehung konkurrierendes Eigengewicht besitzt, entscheidet sich unter anderem auch an dem umstrittenen Text Lk 9,51: „Es geschah aber, als sich die Tage seiner Aufnahme erfüllten, da richtete er sein Antlitz fest darauf, nach Jerusalem zu wandern", der den nachfolgenden Reisebericht (9,51–19,27) unter das Stichwort „Auf-

---

5 Vgl. G. *Lohfink*, Himmelfahrt (StANT XXVI); *Friedrich*, Lk 9,51 und die Entrückungschristologie 48–77, bes. 51–54.

6 Diodor Siculus 4,38,5.

7 Diogenes Laertius 8,68.

8 Philostrat, Vita Apollonii 8,5–30.

9 Livius 1,16; Plutarch, Romulus 27,5; weitere Beispiele bei *Lohfink*, Himmelfahrt 32–74.

10 *Lohfink*, Die Himmelfahrt Jesu. Erfindung oder Erfahrung 15.

11 Lk 24 legt das Gewicht auf die Beendigung der irdischen Existenz Jesu, Apg 1 auf den Anfang der Kirche, die im Geiste lebt.

12 Vgl. *J. Ernst*, Pleroma und Pleroma Christi (BU 5), Regensburg 1970, 41–65.

nahme" (ἀνάλημψις) stellt. Exegeten, die in der als Entrückung verstandenen Himmelfahrt das eigentliche Ziel des Lebens Jesu erkennen wollen,[13] sehen in Lk 9,51 eine wichtige Stütze. G. Friedrich hat in seiner gründlichen Untersuchung des Problems[14] nachgewiesen, daß die für die Entrückungshypothese gewöhnlich herangezogenen Belegstellen[15] zu keinem eindeutigen Ergebnis führen. „Auf Grund des sehr spärlichen Materials zu dieser Frage kann man im besten Fall die Vermutung äußern, daß in vorneutestamentlicher Zeit eher an Tod als Entrückung zu denken ist."[16] Es ist die Frage, ob der engere und der weitere Kontext der in Frage stehenden Stelle im Lukasevangelium weiterhilft. Wenn man das 9,51 angekündigte „Wandern nach Jerusalem" unter dem „Zwang" des göttlichen „Muß" deutet und den von Mose und Elija bei der Verklärung angesagten Lebensausgang (ἔξοδος) Jesu in Jerusalem (9,31) wegen der nachfolgenden zweiten Leidensankündigung Jesu (9,44) unter den Gedanken des Todes stellen darf, dann erscheint es geboten, den „Weg Jesu" und die „Aufnahme" (ἀνάλημψις) in Jerusalem auf das Kreuz zu beziehen.[17]

---

13 *Plummer*, S. Luke 262: „τῆς ἀναλήμψεως αὐτοῦ. ‚Of His assumption', i. e. the Ascension". *Talbert*, Antidoketische Frontstellung 364f. Weitere Vertreter dieser Auffassung bei *Friedrich*, Lk 9,51 und die Entrückungschristologie 48.

14 *Friedrich*, aaO. 71–74.

15 AssMos 10,2; TestLev 18,3; Kerygma Petr. frg. 4; Minuskel 13 in der Unterschrift zum Markusevangelium. Das Verbum ἀναλαμβάνω wird in der LXX für die Entrückung des Henoch und Elija verwendet; im Neuen Testament Mk 16,19; Apg 1,2.11.22; 1 Tim 3,16 von der Himmelfahrt Jesu, aber auch in der Bedeutung von Sterben: Philo, Vita Mosis II 291; TestAbr 15. Das Substantiv wird PsSal 4,18; syrBar 46,7; PsClem, Hom, 3,47 auf den Tod bezogen.

16 *Friedrich*, aaO. 72.

17 *Friedrich*, aaO. 73f: „Der engere wie der weitere Zusammenhang weisen darauf hin, daß Lk 9,51 nicht an die Himmelfahrt, sondern an die Passion gedacht ist. Das entspricht der Gesamtanschauung von Lukas. Zwar zieht er Lk 24 Anschauungen der Entrückungstheologie heran, und Lk 24,50ff und Apg 1 schildert er auch die Entrückung Jesu. Aber diese selbst ist nirgendwo das zentrale Anliegen seiner Darstellung oder gar ein wesentliches Thema seiner Theologie . . ., sondern ein geeignetes Schema, um die Trennung Jesu von seinen Jüngern zu be-

Vielleicht bedarf diese passionstheologische Interpretation noch einer Ergänzung und Nuancierung, die sich aus der eigentümlich unscharfen sprachlichen Metapher, insbesondere aus der Beschreibung eines eschatologischen Ereignisses mit Hilfe von innerweltlichen Zeitbegriffen (Tage der Aufnahme) ergibt. Man tut gut daran, an einen euphemistischen Hinweis auf das Ende Jesu zu denken, der zwar den Tod als unmittelbares Ziel des Weges im Auge hat, aber darüber hinaus auch schon die Verherrlichung anvisiert, die in der Auferstehung (und in der diese Tage abschließenden Aufnahme in den Himmel) vollzogen wird.[18] Das johanneische Verständnis des Todes Jesu als Verherrlichung bietet sich als Parallele an. Lukas gebraucht den Begriff „Aufnahme" (ἀνάλημψις) also in einem umfassenderen Sinne. Für ihn sind Tod, Auferstehung und Aufnahme christologisch geeint, aber Jesus hat seine Geschichte, die eine zeitliche Differenzierung ermöglicht. Die „Tage der Aufnahme" sind die „Herrlichkeitstage" des Christus, sie sind freilich nicht identisch mit der „Zeit der himmlischen Herrschaft" des erhöhten Christus, also mit der „Ewigkeit Gottes", in die Jesus bei der Himmelfahrt eingegangen ist.[19] Eine solche Deutung widerspricht dem anders orientierten biblischen Gottesverständnis, das auch für Lukas gültig ist. Der Begriff der „Ewigkeit" als die Gott zukommende Existenzweise ist dem Neuen Testament fremd.[20]

---

schreiben und den Einschnitt zwischen dem Wirken des irdischen Jesus und der von ihm beauftragten Boten in der Zeit der Kirche bis zur Parusie zu charakterisieren".

[18] *Schneider,* Lukas 229: „Die ‚Hinaufnahme' Jesu ist nach lukanischem Verständnis nicht bloß die ‚Wegnahme' von der Erde durch das Todesleiden. Sie umfaßt zugleich die Auferweckung und Himmelfahrt".

[19] Dies ist die Auffassung von *Flender,* Heil und Geschichte 35: „In Entsprechung zu den ‚Tagen des Menschensohnes' (Lk. 17,22ff.) könnte hier von der Zeit der Erhöhung Jesu die Rede sein, von der Zeit seiner himmlischen Herrschaft, wie sie die Gemeinde gegenwärtig erlebt. Diese Zeit – sagt dann V. 51a – wird durch den Eingang Jesu in seine himmlische Herrlichkeit zu ihrer Erfüllung kommen".

[20] *Ellis,* Funktion 394: „Die platonische Unterscheidung von Zeit und Ewigkeit ist der Eschatologie des Lukas in gleicher Weise fremd wie dem Neuen Testament überhaupt".

O. Cullmann[21] hat die Frage nach dem Verhältnis von Zeit und Ewigkeit für das Neue Testament als irrelevant erklärt. „Die . . . spekulative Frage, ob von Gott, dem Herrn der Zeit, aus gesehen die Zukunft Zukunft ist, besteht im Bereich des neuen Testaments überhaupt nicht, *da dessen Gegenstand eben nur das Handeln Gottes in der Zeit ist*" (Hervorhebung von mir).

Wir tun deshalb Lukas unrecht, wenn wir ihm eine bewußte Reflexion über eine zeitlos-jenseitige Existenz Christi, die eine dereinstige Parusie ausschließt,[22] unterstellen. Gegen eine derartige Interpretation sprechen nicht nur die futurischen Aussagen im Evangelium, die trotz der zur Zeit der Abfassung des Evangeliums noch nicht eingetroffenen Parusie ihr Gewicht behalten,[23] sondern auch der Hinweis auf die Wiederkunft Jesu im Himmelfahrtsbericht der Apostelgeschichte (1,6–11). G. Lohfink hat richtig festgestellt, daß die Entrückungserzählung „vom Problem der ausbleibenden Parusie her entworfen"[24] worden ist. Den ungeduldig wartenden Christen, die möglicherweise in den Erscheinungen des Auferstandenen den „Anfang vom Ende" sahen, wird in der Himmelfahrtsszene ein „Gegenbild" zur Parusie vorgestellt: der Herr kommt (noch) nicht, er ist vielmehr gegangen. Es wird ihnen weiter gesagt, daß jetzt die „Zeit der Kirche" gekommen ist, in der sie Zeugnis zu geben haben „in Jerusalem und in ganz Judäa und Samaria und bis an die Grenzen der Erde" (Apg 1,8). Aber damit ist die Parusie nicht „erledigt" oder durch die Erhöhungsaussage überflüssig geworden. Im Gegenteil:

---

[21] *Cullmann,* Heil als Geschichte 157f.

[22] *Flender,* Heil und Geschichte 98: „Die Erhöhung Christi ist für Lukas sozusagen die im Himmel voraus verwirklichte Parusie, das dort schon vollendete Heilsgeschehen".

[23] Das Lukasevangelium hat bei aller Konzentration auf die Gegenwart des Heilsgeschehens die Parusie nicht aus dem Auge verloren. Die Endzeitrede Lk 21,5–36 differenziert stärker als die Markusvorlage zwischen den zeitgeschichtlichen Ereignissen und dem noch ausstehenden Ende. Es kann auch nicht bestritten werden, daß die Parusie zeitlich „verschoben" worden ist. Aber das vorrangige Interesse gilt dem auf den Wolken mit großer Macht und Herrlichkeit kommenden Menschensohn (Lk 21,27), vor dem alle Menschen stehen (und auch bestehen) müssen (Lk 21,36; vgl. *Ernst,* Lukas 565f.570f). „Jener Tag" kommt plötzlich und überraschend (Lk 17,26–35; 21,34–36), aber er kommt bestimmt (vgl. zum „Kommen des Menschensohnes" auch Lk 9,26; 12,8). Zur unmittelbaren Nähe des Gerichtes vielleicht auch 12,16–20. 35–48.54f.58f; 18.8.

[24] *Lohfink,* Die Himmelfahrt Jesu 49.

„Jesus wird so sicher, so real und so sichtbar wiederkommen, wie jetzt seine Auffahrt erfolgt ist"[25].

Möglicherweise bietet Apg 3,19–21 eine Verbindung von Entrückungs- und Wiederkunftsvorstellung, die keinesfalls, wie H. Flender[26] meint, zusammenfallen;[27] Lukas bedient sich vielmehr eines apokalyptischen Denkmodells, nach welchem „die entrückten alttestamentlichen Frommen nicht nur wegen ihrer guten Taten aufgenommen (sind), sondern auch deshalb, weil Gott sie für besondere Aufgaben vorgesehen hat"[28]. Jesus wird, wie die Gottesmänner Israels, im Himmel „aufbewahrt" bis zu dem Zeitpunkt, an dem Gott ihn wieder senden wird zur „Wiederherstellung von allem". Das apokalyptische Motiv des Aufbewahrens hält also gerade die eschatologische Erwartung wach, es läßt sich mit der platonischen Vorstellung einer zeitlosen Ewigkeit gerade nicht vereinbaren.

Eine radikale Verwerfung der futurischen Eschatologie hat natürlich Konsequenzen für die Frage nach dem Weltbezug des Heils. Wenn

---

[25] *Lohfink,* Die Himmelfahrt Jesu 48.

[26] *Flender,* Heil und Geschichte 91: „Er (Lk) überträgt theologische Aussagen, die vorher auf die Parusie Jesu bezogen waren, auf seine Erhöhung. Das Zukünftig-Himmlische ist für ihn zugleich das Jenseitig-Himmlische".

[27] Eine eigenwillige Deutung der „störenden" Parusievorstellung von Apg 3,20f legt *J. A. T. Robinson,* The most primitive Christology of all?: JThSt 7 (1956) 177–189; *ders.,* Jesus and his Coming, London 1957, vor. Die Stelle Apg 3,20f gebe „die Spur eines *vorübergehenden* Zögerns der Urgemeinde, das Heilsereignis von Kreuz und Auferstehung schon als *das* eschatologische Ereignis schlechthin zu akzeptieren", zu erkennen. „Man habe also vorübergehend nicht erkannt, daß der von Jesus im Erdenleben angekündigte Akt, der die messianische Herrschaft Gottes inaugurieren sollte, schon geschehen sei. Und dieses vorübergehende ... Zögern habe einen zweiten, zunächst unterschwelligen Strom des urchristlichen Denkens (neben der Erhöhungsauffassung) hervorgebracht, der dann in der ntl Apokalyptik (der Lehre von einer ‚zweiten Ankunft‘ vor dem Ende) hervorbrach", s. *Thüsing,* Erhöhungsvorstellung 24 Anm. 17. Nach diesem „Muster" hat die Parusievorstellung also lediglich eine Ersatzfunktion für die noch nicht (oder nicht mehr) klar erkannte Erhöhung. Würde das aber auch für Apg 1,11; 10,42 (Gerichtsaussage) und 7,56 (Jesus, der Menschensohn zur Rechten Gottes) gelten können?

[28] *Friedrich,* Lk 9,51 und die Entrückungschristologie 69f.

diese Welt und die jenseitige Welt, die Ewigkeit Gottes und die Geschichte des Menschen, völlig voneinander geschieden sind, dann läuft Geschichte ab nach den ihr immanenten Gesetzen, Heilsgeschichte „ist dann nicht". Genau das ist das Denkmodell der Gnosis, und moderne Autoren scheuen sich auch nicht, innerweltliche, vom Heil losgelöste Zukunftsperspektiven aufzuzeigen.[29] Ein interessanter Versuch, dem aufgezeigten Dilemma zu entgehen und das ins Jenseits abgeschobene Heil an Welt und Geschichte zu binden, ist die von H. Flender erarbeitete Theorie der „‚komplementären' Darstellungsweise". „Lukas denkt in Aspekten. Er sieht die Sache, um die es geht, von mehreren Seiten. Er zeigt damit, daß die lebendige, vielschichtige Wirklichkeit nicht auf einen Nenner zu bringen, modern gesprochen: nicht objektivierend festzulegen ist ... Lukas erreicht mit dieser Dialektik ein Doppeltes: Einmal bewahrt er die aktuelle Gegenwärtigkeit der Offenbarung Gottes und läßt diese nicht in der Geschichte vorfindlich werden; zum andern kann er die (kirchen-) geschichtlichen Wirkungen des Christusereignisses beschreiben, ohne die Geschichte zu sakralisieren."[30] „So bewältigt Lukas das theologische Problem, das das Vergangensein des Heilsgeschehens stellt. Er findet zwischen gnostischer Leugnung und ,frühkatholischer' Heiligsprechung der Geschichte die Lösung, das menschenüberlegene Geheimnis und die irdische Sichtbarkeit der Christusgeschichte zugleich auszusprechen."[31]

Das angedeutete Problem erhält in der christologischen Fragestellung eine besondere Zuspitzung: wenn das Christus-Heil absolut jenseitig und damit abgeschlossen und unerreichbar ist, dann ist die Welt heillos und christusfremd. Flender findet auch hier einen Ausweg in der Theorie der „aspekthaften Zuordnung": „Jesus ist für Lukas keines-

---

[29] *Schulz,* Spruchquelle 174: „Die Erwartung Gottes als der Zukunft Jesu muß in die heutigen Weltsituationen, und dh konkret in die gesellschaftlich-politischen, technisch fabrizierten und ideologisch gefärbten Futura eingebracht werden, womit gerade einer wahrhaften Humanisierung dieser Erde inmitten der von Menschen gemachten Zukünfte das Wort geredet, allen bloß nachweltlichen und jenseitigen Zukunftsvorstellungen aber der Abschied gegeben wird".

[30] *Flender,* Heil und Geschichte 24.

[31] *Ders.,* aaO. 149.

wegs ‚die Mitte der Zeit' im chronologischen Sinne. Nach seiner menschlichen Existenzweise gehört er an den Anfang der neuen Zeit, die durch die Verkündigung der Gottesherrschaft bestimmt ist. Nach seiner himmlischen Existenzweise steht er außerhalb jeden chronologischen Schemas in der Gleichzeitigkeit Gottes zu aller menschlichen Zeit"[32].

Die Einwirkungen der dialektischen Theologie, die Eschatologie von dem „vertikalen Denkmuster" her neu entworfen hat,[33] sind nicht zu übersehen. Es stellt sich freilich die Frage, ob sich hier nicht ein gefährlicher Dualismus auftut, der Heil und Welt als Lebensraum der Menschen und ihrer Geschichte praktisch voneinander trennt. Die Frage lautet doch: in welchem Verhältnis steht die „neue Zeit" zur Jenseitigkeit bzw. Ewigkeit Gottes? Es genügt nicht, das Heilsgeschehen „vom Himmel her je und je für den einzelnen gegenwärtig"[34] werden zu lassen, aber eine „Vorfindlichkeit" abzulehnen. Die horizontale heilsgeschichtliche Linie, die durch die diese Welt berührenden Daten Tod – Auferstehung – Parusie bestimmt ist, hat lediglich eine vertikale Komponente durch die Himmelfahrt erhalten. Das Heil ist damit nicht in ein Jenseits verlagert, es hat lediglich durch die Erhöhung Jesu (die die Wiederkunft nicht überflüssig gemacht hat) eine neue Dimension erhalten. Die vertikale Orientierung der Eschatologie bedeutet für Lukas nicht einfach eine Vollendung im Himmel, die, wie Flender meint,[35] sich auf Erden widerspiegelt, ohne freilich auf das irdische Geschehen noch Einfluß zu nehmen, sie ist vielmehr Ausdruck für die in Zeit und Geschichte gesetzte Heilstat Gottes, die im Himmel manifest geworden ist. Das bedeutet aber konkret: Heilsgeschichte ist nicht aufgelöst, sie hat vielmehr eine

---

[32] *Flender,* Heil und Geschichte 113.

[33] *G. Lohfink,* Zur Möglichkeit christlicher Naherwartung, in: *G. Greshake/ G. Lohfink,* Naherwartung, Auferstehung, Unsterblichkeit, Freiburg–Basel–Wien 1975, 63: „Diese scharfe Polarität zwischen der Welt des Menschen und der Welt Gottes, zwischen Zeit und Ewigkeit, ist für die eschatologische Neubesinnung der protestantischen Theologie nach dem Ersten Weltkrieg charakteristisch".

[34] *Flender,* Heil und Geschichte 149.

[35] *Ders.,* aaO. 149: „. . . das Heilsgeschehen korrigiert und öffnet wohl die Strukturen dieser Welt, wird aber nicht in ihnen vorfindlich".

neue himmlische Perspektive erhalten. „Für Jesu Nachfolger ist die vertikale Dimension nicht eine Landkarte für ihre persönliche Pilgerfahrt, sondern stellt vielmehr eine Verbindung mit dem dar, der ‚bis zu den Zeiten der universalen Apokatastasis' (Apg 3,21) im Himmel ist."[36] Die horizontale Eschatologie, das heißt das Warten auf die Parusie, ist um einen neuen Aspekt bereichert worden. Wir können von einer zweidimensionalen Eschatologie sprechen, welche die beiden Denkmodelle miteinander kombiniert und den in ihnen verborgenen „Sinn" freigibt.[37]

Die Tatsache, daß das Christusgeschehen das vertraute und durchaus nicht singuläre Darstellungsmodell der himmlischen Erhöhung nach sich gezogen hat, soll hier ausdrücklich hervorgehoben werden. Lukas adaptiert aber keinen gnostischen oder frühgnostischen Mythos, er deutet den geschichtlichen Weg des Christusheils mit Hilfe von Bildern, die einen breiteren religionsgeschichtlichen Hintergrund haben. Im Christusgeschehen haben sie ihre Erfüllung erhalten.

Es ist deutlich geworden, daß die Eschatologie bei Lukas durch die betonte Zuordnung zum Christusgeschehen einen anderen Stellenwert erhalten hat. Eschatologie ist nicht mehr deckungsgleich mit der von Jesus gepredigten und prophetisch angesagten Herrschaft

---

[36] *Ellis,* Funktion 397f.

[37] *Thüsing,* Erhöhungsvorstellung 91, kann am Ende seiner gründlichen Untersuchung des Problems resümieren: „Die frühe Gemeinde weiß die ‚Erhöhungsvorstellung' terminologisch noch kaum oder jedenfalls nicht in der später entwickelten Weise von der Parusieerwartung abzusetzen; sie vermag also auch noch nicht in der späteren Weise zu differenzieren zwischen dem ‚erhöhten' und dem kommenden Jesus. Trotzdem sind beide Spannungspole – der präsentische und der futurische – in voller Stärke vorhanden". „Ihrer (d. h. der Christen der frühen nachösterlichen Zeit) ‚Erhöhungsvorstellung' ist der Blick auf den kommenden Menschensohn in einer Weise inhärent, daß sie bei ihrem Blick auf den gegenwärtig Wirkenden gar nicht davon absehen können; ja, von dieser dynamischen Hinordnung des gegenwärtigen ‚Erhöhungs'-Wirkens Jesu auf die Parusie lassen sie sich so mittragen, daß eine theologisch eigenständige, explizite Aussage der Erhöhung nur schwer und erst allmählich aufkommen kann. Oder umgekehrt ausgedrückt: Die Erhöhungsvorstellung ist in dem Blick auf den in offenbarer Macht kommenden Menschensohn impliziert".

Gottes, sie ist vielmehr eine Funktion der einerseits zwischen Gegenwart und Zukunft und andererseits zwischen Erde und Himmel sich erstreckenden Christuswirklichkeit. Lukas steht mit dieser neuen Konzeption keinesfalls im Widerspruch zur Eschatologie der Frühzeit, er hat vielmehr aufgrund seiner besonders ausgeprägten Christuserfahrung akzentuierter als seine literarischen Vorlagen die Bindung der Eschatologie des Neuen Testaments an die Heilsperson Jesus Christus betonen können. Das Heil ist in Jesu Wort und Tat geschichtlich gekommen, es ist kraft der Erhöhung Jesu „jenseitig-präsent", und es wird in und mit dem erwarteten Menschensohn vollendet werden. Im Unterschied zum Johannesevangelium, das die Basileia-Predigt in die Selbstverkündigung des Offenbarers aufgehen läßt, hat Lukas allerdings stärker differenziert. Das Reich Gottes ist greifbar nahe „im schöpferischen Wort und in den Taten Jesu"[38], aber es ist nicht voll und ausschließlich die Auto-Basileia. Gott ist der Herr des eschatologischen Reiches. Damit hängt aber auch zusammen, daß trotz der starken präsentischen Ausprägungen der Basileia-Verkündigung die zukünftige Perspektive nicht verlorengegangen ist.[39] Das Reich Gottes ist freilich nicht jener zukünftige Äon, auf den Jesus nur prophetisch hinweist, ohne aber ein persönliches Verhältnis zu ihm zu haben. In ihm, dem Auferstandenen, Erhöhten und Wiederkommenden ist die Gegenwart auf die Zukunft bezogen und ist umgekehrt die Zukunft gegenwärtig. Die Eschatologie des Lukas ist durch die Christuserfahrung geprägt. Es ist dies aber nicht der „verewigte" Christus, der von Zeit zu Zeit Botschaften in die weltliche Welt sendet, sondern der Christus der Heilsgeschichte, der war, der jetzt in der Zeit der Kirche vom Himmel her durch seinen Geist in die Geschichte der Welt eingreift und dereinst kommen wird.

---

38 *Ellis*, Funktion 395; vgl. Lk 11,20: ἔφθασεν ἐφ' ὑμᾶς ἡ βασιλεία τοῦ θεοῦ; 10,9: ἤγγικεν ἐφ' ὑμᾶς ἡ βασιλεία τοῦ θεοῦ.

39 *Ellis*, aaO. 395 Anm. 24: „Offenbar wird die Gegenwart des kommenden Äons in der Darstellung der vorösterlichen Verkündigung in den Evangelien lediglich im 4. Evangelium mit der *Person* Jesu identifiziert".

2.2 Die anthropologischen Implikationen der zweischichtigen Eschatologie

Im Hinblick auf die geistesgeschichtlichen oder theologiegeschichtlichen Hintergründe der lukanischen Eschatologie muß die Frage nach den anthropologischen Vorstellungen gestellt werden. Falls sich das platonische Welt- und Daseinsverständnis über das biblische gestülpt haben sollte, was ja hinter dem Diesseits-Jenseits-Modell vermutet worden ist, dann müßte dieser Entwicklungsprozeß auch die anthropologischen Vorstellungen des Lukas mit beeinflußt haben.[1]

Lukas hat zwar die individuelle Eschatologie, wie bereits aufgezeigt wurde, intensiver als seine Vorlagen reflektiert, aber die Verwendung der herkömmlichen anthropologischen Kategorien ist das eigentlich Auffällige. Die Unterscheidung von Leib und Seele taucht nirgendwo auf, im Gegenteil, Lukas „lässt die Personen auch im Jenseits mit allen Merkmalen irdischer Körperlichkeit auftreten"[2]. Der Mensch geht getreu den alttestamentlichen Vorstellungen als ganzer in die Welt

---

[1] Zur Darstellung der beiden eschatologischen Modelle vgl. *G. Greshake,* Das Verhältnis „Unsterblichkeit der Seele" und „Auferstehung des Leibes" in problemgeschichtlicher Sicht, in: *G. Greshake/G. Lohfink,* Naherwartung, Auferstehung, Unsterblichkeit, Freiburg–Basel–Wien 1975, 82–130, bes. 82f: „Von ihrem Ursprung her sind ‚Unsterblichkeit der Seele' und ‚Auferstehung des Leibes' – beides Formulierungen und Vorstellungsbilder menschlicher Hoffnung, die über den Abbruch des Todes hinausgreift – einander nicht zugeordnet, sondern es sind zwei grundsätzlich verschiedene Totalantworten auf die Frage nach einer möglichen Überwindung der Todesgrenze". Vgl. hierzu kritisch *J. Ernst,* Sterben, Tod und Ewigkeit in der Sicht des Neuen Testamentes: ThuGl 66 (1976) 394. *Greshake* gibt dann allerdings zu, daß sich aus diesen verschiedenen Systemen recht bald im Spätjudentum und vor allem in der christlichen Tradition eine „komplementierende Korrelation" ergeben hat. „Ja, man kann sagen, daß die Anthropologie, die das Werden der kirchlichen Lehrtradition und die Vorstellungen des Glaubens hinsichtlich der Zukunft über den Tod hinaus geprägt hat, seit den Anfängen des Christentums durch ein spannungsvolles Zueinander von griechischer und hebräischer Anthropologie gekennzeichnet ist".

[2] *Weiß,* Predigt Jesu 110.

Gottes ein,[3] erst die nachneutestamentliche Zeit hat unter dem Einfluß anders orientierter Denkrichtungen, die freilich den neutestamentlichen Gemeinden auch schon zu schaffen gemacht haben, wie die Auseinandersetzung des Paulus mit den Auferstehungsleugnern in Korinth zeigt (vgl. 1 Kor 15,12: „Eine Auferstehung von den Toten gibt es nicht"), zwischen „Leib" und „Seele" unterschieden. Daß Lukas in der Perikope 16,19–31, für die wir individual-eschatologische Implikationen für möglich gehalten haben, auch einen Leib-Seele-Dualismus voraussetzt,[4] ist nicht erwiesen und kaum wahrscheinlich. Das Verheißungswort an den reuigen Schächer „heute wirst du mit mir im Paradies sein" (Lk 23,43) ist weit von den gnostischen Vorstellungen einer „Himmelsreise der Seele"[5] entfernt; dem reuigen Schächer wird das Eingehen in das Paradies versprochen. Damit sollte man sich auch zufriedengeben und nicht mehr, als der Text hergibt, erfahren wollen. Es wäre allenfalls möglich, daß Lukas bekannte Nuancierungen des alttestamentlich-jüdischen Menschenbildes, die mit der bewußten Reflexion des persönlichen Todes in der jüdischen Apokalyptik zu tun haben, mitbedenkt, ohne sie freilich zu präzisieren. J. Jeremias hat darauf aufmerksam gemacht, daß im Zuge der Identifizierung der Heilszustände von Urzeit und Endzeit der Gedanke an ein gegenwärtig verborgenes Paradies aufkommen

---

[3] Zum Menschenbild des Alten Testaments vgl. *J. Scharbert*, Fleisch, Geist und Seele im Pentateuch. Ein Beitrag zur Anthropologie der Pentateuchquellen (SBS 19), Stuttgart 1966; *O. Schilling*, Der Jenseitsgedanke im Alten Testament, Mainz 1951. *G. Greshake*, Das Verhältnis ... 84: „Die verschiedenen anthropologischen Bezeichungen der Bibel (wie z. B. nefesch, ruach und basar) beziehen sich nicht auf verschiedene, im Menschen zu unterscheidende Substanzen, die erst zusammengesetzt den einen Menschen ausmachen, sondern sie bezeichnen nur Aspekte am einen und ganzen Menschen, der als Einer und Ganzer lebt und als Einer und Ganzer stirbt".

[4] Vgl. *Ellis*, Funktion 394. Richtig *A. Jülicher*, Gleichnisreden II 623: „die Frage nach dem Anteil von Seele und Leib an dem Fortleben nach dem Tode interessiert hier den Erzähler nicht". Lukas redet in den anthropologischen Denk- und Darstellungskategorien der Bibel, die „naiv" und unreflektiert Jenseitszustände darstellt, ohne die bewußte Absicht, Einzelheiten zu beschreiben.

[5] *W. Bousset*, Die Himmelsreise der Seele, Nachdruck der Ausgabe von 1901, Darmstadt 1960.

mußte.[6] Dieses verborgene Paradies gilt als gegenwärtiger Aufenthaltsort der „Seelen der Gerechten".[7] Es kann also nicht völlig ausgeschlossen werden, daß Lukas eine körperlose Existenz für die Dauer einer Zwischenzeit im Auge hatte. Aber bewußte Spekulationen über die Einzelheiten des „Jenseits", etwa über einen Zwischenzustand, haben ihm wohl ferngelegen. Der Verfasser will das Heil zusprechen. Das theologisch Bedeutsame ist nicht die Frage nach dem „Wann" und „Wo und Wie", sondern die Christusgemeinschaft. „Das ‚Mit ihm' des glaubenden und bekehrten Schächers legt den Grund für die Teilhabe am Paradies Jesu. Das ‚Mit ihm' ist selbst das Paradies."[8]

Für die anthropologische Frage sind „Seele" (ψυχή), „Geist" (πνεῦμα) und „Leib" (σῶμα) relevante Begriffe. Ohne Vollständigkeit zu beabsichtigen, sollen im folgenden einige zentrale Texte untersucht werden.

a) Lk 12,4f = Mt 10,28

(Text s. S. 81)

Lukas hat, wie oben bereits festgestellt, die für sein Empfinden unpassende dichotomische Formel von Mt 10,28 abgeändert. „Offenkundig will Lukas den Satz vermeiden, daß der Mensch die Seele nicht töten könne . . ."[9] Er interpretiert also die nach seiner Auffassung mißverständliche Anthropologie seiner Vorlage. Immerhin gibt sein apologetisches Bemühen auch zu erkennen, daß über die Sonderexistenz der menschlichen Seele nachgedacht wird, wenn auch nur abwehrend und verteidigend.[10]

b) Lk 9,25 = Mk 8,36

„Denn was nützt es dem Menschen, wenn er die ganze Welt gewinnt, *sich selbst* aber verliert oder Schaden nimmt?"

---

[6] *J. Jeremias,* παράδεισος, in: ThWNT V 765.

[7] aethHen 70,4; ApkMos 37,5; TestAbr 20a; aethHen 60,7f.23; 61,12; 70,4; slavHen 9,1; 42,3a; ApkAbr 21,6f; *Strack-Billerbeck* III 534.

[8] *Stöger,* Lukas II 296.

[9] *E. Schweizer,* ψυχή, in: ThWNT IX 646.

[10] *Dautzenberg,* Sein Leben bewahren 139: „Anthropologisches (das Geschehen beim Tode) und Eschatologisches (das Geschehen beim Ge-

Die Ersetzung des markinischen „seine Seele verlieren" durch das personale „sich selbst" läßt sich aus dem stilistischen Empfinden des Lukas verständlich machen. Nach dem zweimaligen „seine Seele" (τὴν ψυχήν αὐτοῦ) in V. 24 war ein Wechsel des Ausdrucks angebracht. Die Vermutung, Lukas habe den Gedanken einer Bestrafung der Seele nach dem Tode zurückweisen wollen,[11] legt die Akzente zu einseitig auf den anthropologischen Aspekt der Aussage. Der Satz wird durch die Geschäftsterminologie „gewinnen – Schaden nehmen" (κερδήσας – ζημιωθείς) beherrscht, die zwei sich gegenseitig ausschließende Alternativen aufzeigt.[12] Lukas unterstreicht diesen Gesichtspunkt durch den Zusatz „sich selbst verliert" (ἀπολέσας), der wie V. 24 den Totalverlust meint. Für die Frage nach der individuellen Eschatologie trägt der Text also nichts ein. Im Zusammenhang mit V. 24 drängt sich eher eine allgemein-eschatologische Bedeutung auf. Der Begriff ψυχή meint das Leben[13] oder das menschliche „Selbst", das einerseits im Tode durch das Martyrium verlorengeht, das aber andererseits überdauert und nach dem Gericht seine Vollendung findet bei Gott. „Der Begriff ‚Leben' wird hier auf Zukunft hin geöffnet, über den Tod hinaus. Von einer neuen ‚Qualität des Lebens' ist hier, wo es um Rettung, um die σωτηρία ψυχῶν (1 Petr 1,9) und um Verlust, die ἀπώλεια (Hebr 10,39) geht, keineswegs die Rede."[14]

c) Apg 2,31

Es ist die Frage, ob der Midrasch über Ps 15,10 LXX in Apg 2,31: „Er wird nicht der Totenwelt preisgegeben, und sein Fleisch schaut die Verwesung nicht", den Begriff „Seele" (ψυχή) gegen „Fleisch" (σάρξ) bewußt ausgewechselt hat, um eine mißverständliche

---

richt) sind in ihm verbunden zu einer Reflexion über den Märtyrertod".

[11] *E. Schweizer,* aaO. 646.

[12] *Dautzenberg,* Sein Leben bewahren 69f.

[13] *Kümmel,* Das Bild des Menschen 12, zu Mk 8,35f: „Die(se) Sprüche setzen also gerade nicht den besonderen Wert der menschlichen Seele voraus, sondern wollen im Gegenteil den Menschen vor der Gefahr des Verlustes des himmlischen Lebens warnen". Auch Lukas versteht den Begriff ψυχή noch in diesem Sinne.

[14] *Schürmann,* Lukas 544.

Reflexion über das Geschick der Seele nach dem Tode auszuschließen,[15] oder ob nicht vielmehr der Terminus „Auferstehung des Christus" (ἀνάστασις τοῦ Χριστοῦ) V. 31 für die Umstellung verantwortlich ist. Lukas mußte den Ausdruck „Fleisch" (σάρξ) im vorliegenden Zusammenhang wählen, weil er gegen eine „Verflüchtigung" des Auferstehungsleibes Jesu, wie sie bei Verwendung des Begriffs „Seele" (ψυχή) befürchtet werden könnte, mit Entschiedenheit angeht. „Der Verherrlichte und Unvergängliche, der in den Himmel erhöht worden ist, ist ein Mensch von Fleisch und Bein."[16] Zu dieser Deutung paßt auch der realistische Demonstrationsbeweis, den der Auferstandene mit dem Vorweisen seiner Hände und Füße (Lk 24,39) antritt. „Lukas ist Vorläufer einiger patristischer Schriftsteller und Glaubensbekenntnisse, die die Auferstehung des ‚Fleisches' besonders hervorheben[17]." Lukas hat also gerade nicht die „Entrückung" nach dem Tode, vorausdargestellt in der Himmelfahrt Jesu, verabsolutiert, sondern vielmehr die Auferweckung der Toten, die in der Auferstehung Jesu ihren Anfang genommen hat, als eine fleischliche verstanden wissen wollen. E. Schweizer bemerkt richtig, daß über den Zeitpunkt der Auferweckung bei Lukas keine eindeutigen Aussagen gemacht werden. Lk 16,22f und 23,43 scheinen anzudeuten, daß der Mensch sofort nach dem Tode als ganzer „in den Qualen des Hades oder im Paradies weilt"[18]. Aber es ist bereits bemerkt worden, daß diese Texte nicht bewußt über die Terminfrage nachdenken, sondern in einem Falle die jüdische Jenseitsvorstellung unreflektiert übernehmen, um einen paränetischen Gedanken, die Warnung vor dem Reichtum und der Hartherzigkeit zu unterstreichen, im anderen, um die Chri-

---

[15] So *Ellis,* Funktion 393 Anm. 15: das Nebeneinander von „Seele" (ψυχή) und dem „Selbst" von V. 27 sei durch das Nebeneinander von „Fleisch" (σάρξ) und dem „Selbst" in V. 31 ersetzt.

[16] *Ellis,* aaO. 393.

[17] *Ellis,* aaO. 393 Anm. 17. Dort der Hinweis auf Irenaeus, Adv. haer. I 10,1: Tertullian, De virg. 1; Apostolisches Glaubensbekenntnis; Justin, Dialog 80. „Paulus spricht nicht ausdrücklich von der Auferstehung des Fleisches, wahrscheinlich wegen der theologischen Bedeutung, die er dem Begriff ‚Fleisch' = ‚Mensch unter der Sünde' und ‚Mensch unter dem Tode' gibt".

[18] *E. Schweizer,* ψυχή, in: ThWNT IX 646.

stusgemeinschaft des bekehrungswilligen Sünders herauszustellen. Nur „nebenbei" fallen hier Aussagen über das Leben „im Jenseits" ab. Auf keinen Fall dürfen also diese wenigen Texte gegen eine futurische Eschatologie mit der allgemeinen Totenauferstehung ausgewertet werden. Für die Frage nach der Trennung von Seele und Leib geben sie nichts her.

d) Lk 12,19

Daß die Seele (ψυχή) des Menschen nichts anderes ist als sein eigenes „Selbst", das im Tode verlorengeht, zeigt Lk 12,19f: „. . . und ich werde zu meiner Seele sagen: Seele, du hast viele Güter liegen für viele Jahre. Ruhe aus, iß, trink, sei fröhlich. Es sprach aber zu ihm Gott: Tor, in dieser Nacht werden sie deine Seele von dir fordern" (vgl. Apg 2,27; 20,10; 27,22f). Es ist denkbar, daß das Selbstgespräch durch die betonte Verwendung des ψυχή-Begriffs eine polemische Note erhalten soll: wer Erfüllung für das eigene Ich nur in den diesseitigen Gütern sieht, verpaßt die eigentliche Bestimmung des menschlichen Daseins. Erst die Ausrichtung auf Gott gibt der menschlichen Existenz Sinn und Inhalt. „Die Verwendung des Begriffes ist also literarisch und theologisch motiviert, erst an zweiter Stelle wird man nach der zugrunde liegenden Vorstellung von der Wesensart der ψυχή fragen dürfen."[19] Möglicherweise steht hinter der objektivierenden Darstellung des eigenen Selbst der Gedanke, daß die „Seele" (ψυχή) ein Darlehen Gottes ist. Eine dichotomische Unterscheidung zwischen Leib und Seele ist freilich nicht zu erkennen.

e) Lk 12,22 = Mt 6,25

Die Parallelisierung von „Seele und Leib" (ψυχή und σῶμα) in dem Logion vom Sorgen: „. . . deshalb sage ich euch: sorgt nicht für das *Leben,* was ihr essen, auch nicht für den *Leib,* was ihr anziehen sollt" (Lk 12,22 = Mt 6,25), die unreflektiert aus der Quelle übernommen wurde und insofern allenfalls indirekt etwas über das lukanische Verständnis aussagt, hebt auf das menschliche „Selbst " als Objekt des Sorgens ab. Die Verwendung der Doppelformel

---

[19] *Dautzenberg,* Sein Leben bewahren 89.

„Seele–Leib" ($\psi\upsilon\chi\acute{\eta}$ – $\sigma\tilde{\omega}\mu\alpha$) ist wahrscheinlich durch das traditionelle zweigliedrige Schema von der Sorge um Nahrung und Kleidung vorgegeben. Das eigentliche Gewicht liegt auf dem $\psi\upsilon\chi\acute{\eta}$-Begriff, der das eigene Ich umschreibt. Das unter Formelzwang angefügte pronominal zu verstehende Wort „Leib" ($\sigma\tilde{\omega}\mu\alpha$) darf sachlich nicht von der „Seele" ($\psi\upsilon\chi\acute{\eta}$) abgehoben werden.[20] „Daß es sich bei der Ausdrucksweise ‚Seele–Leib' nicht um einen anthropologischen Dualismus handeln kann, zeigt die Parallelität zwischen ‚Essen' und ‚Anziehen'. Das eine wie das andere ist ein Erfordernis des ganzen Menschen, dessen Lebensbedürfnisse in den beiden zentralsten Bereichen verdeutlicht werden."[21]

Der theologische Sinn des Spruchs – der Mensch und insbesondere der Jünger Jesu darf nicht im irdischen Sorgen aufgehen, „denn er steht in einem über die reine Existenzerhaltung hinausgehenden anderen und höheren Bezug zu Gott, seinem Vater"[22] – verbietet von vornherein eine anthropologische Engführung.

f) Lk 1,46f

Das Nebeneinander von „Seele" ($\psi\upsilon\chi\acute{\eta}$) und „Geist" ($\pi\nu\epsilon\tilde{\upsilon}\mu\alpha$) Lk 1,46f („meine Seele erhebt den Herrn und es jubelt mein Geist . . .") spielt auf das geistige Ich des Menschen an, dessen religiöse Empfindungen auf Gott zurückgeführt werden. „Geist" ($\pi\nu\epsilon\tilde{\upsilon}\mu\alpha$) und „Seele" ($\psi\upsilon\chi\acute{\eta}$) meinen an sich das gleiche. „Jedenfalls bezeichnen sie nicht immaterielle Teile des Menschen, die dem Leib oder Fleisch gegenübergestellt wären."[23]

g) Lk 8,55 und Apg 20,10

Nicht eindeutig sind die Stellen, die „Geist" ($\pi\nu\epsilon\tilde{\upsilon}\mu\alpha$) und „Seele" ($\psi\upsilon\chi\acute{\eta}$) gleichwertig für das Leben, das den Verstorbenen durch das

---

[20] *Ders.,* aaO. 95.

[21] *Ernst,* Lukas 402. Vgl. auch *Kümmel,* Das Bild des Menschen 17: der Gegensatz zwischen Seele und Leib ist nur ein scheinbarer, „in Wirklichkeit ist hier wieder Übersetzung für naphschä im Sinne von ‚Leben': Leben und Leib sind beides Bezeichnungen für das irdische Sein des Menschen, für dessen Unterhalt Gott, nicht der Mensch, sorgen soll".

[22] *Dautzenberg,* aaO. 96

[23] *E. Schweizer,* $\psi\upsilon\chi\acute{\eta}$, in: ThWNT IX 639 Anm. 148.

Wort Jesu beziehungsweise des Apostels zurückgegeben wird, gebrauchen. Haben wir es hier mit jenem immateriellen Teil des Menschen zu tun, der den Tod überdauert?[24] Die Wendung Lk 8,55: „und es kehrte zurück ihr Geist" (καὶ ἐπέστρεψεν τὸ πνεῦμα αὐτῆς) scheint dies anzudeuten, während Apg 20,10 lediglich feststellt, daß das „Leben" (ψυχή) wieder „in" dem soeben tot aufgefundenen jungen Mann ist. Eine einheitliche Vorstellung hat sich genauso wenig herausgebildet wie ein fester Sprachgebrauch. Eine Reflexion über die postmortale menschliche Existenz ist hier jedoch schon andeutungsweise zu erkennen. Ob das letzte Wort Jesu am Kreuz vom Zurückgeben seines „Geistes" (πνεῦμα) in die Hände des Vaters (Lk 23,46) ebenfalls in diesem Sinne zu verstehen ist, bleibt fraglich. „Lk will mit dem Gebet nichts über das Wesen des Todes sagen, sondern zeigen, wie man ihn gläubig bewältigen muß."[25]

h) Lk 21,19

Einen Hinweis auf die Vorstellung vom „ewigen Leben" (Lk 10,25; 18,18.30) könnte man in dem Logion Lk 21,19: „Durch eure Geduld werdet ihr eure Seele gewinnen"[26] erblicken. Lukas hat den apokalyptischen Aufruf zur Standhaftigkeit in den Endzeitdrangsalen (Mk 13,13b) auf gegenwärtige Verfolgungen bezogen. Von einer „Enteschatologisierung" kann man jedoch nur mit Vorbehalt sprechen, da es hier um mehr geht als nur um „Überleben". Den Märtyrern wird vielmehr die eschatologische Existenz, die Erlangung

---

[24] E. Schweizer, πνεῦμα, in: ThWNT VI 377: „Auf palästinischem Boden ist die Vorstellung vom Leben des Geistes nach dem Tode des Menschen zuerst in Jub u in äth Hen bezeugt. Nach Jub 23,26–31 erlebt der Geist des verstorbenen Gerechten die Freude der Erlösung Israels in der Endzeit, während ihre Gebeine in der Erde im Frieden ruhen. Hier redet man also nicht von der Auferstehung des Leibes der Gerechten, sondern nur von der Freude ihres noch lebenden Geistes. Im äth Hen sind die Gedanken weitergeführt, uz so, daß man sowohl an eine fortgesetzte Existenz der Seele unmittelbar nach dem Tode als an eine künftige Auferstehung des Menschen beim letzten Gericht glaubt". Vgl. aethHen 22; 39,4ff; 91,10; 92,3; 98,3.10; 103,3f.7f.

[25] Ernst, Lukas 639.

[26] Ich verbessere hiermit die Übersetzung von Ernst, Lukas 557.

des eigentlichen Lebens, das sie jetzt noch nicht besitzen, verheißen.[27] Die Verwendung des Begriffs κτάομαι statt σῴζω mag
das besondere Interesse des Lukas an der Heilssicherheit und am
Heilsbesitz, der gegen die Gefährdungen in dieser Zeit zu schützen
ist, betonen.[28] Die Übergänge zwischen den Vorstellungen des
Rettens, Findens und Am-Leben-Erhaltens sind jedoch sehr unscharf.

Der Tenor der Aussage ist, wie die Parallelstellen Lk 17,33 und 9,24b
bestätigen, die Mahnung an die Adresse der nachösterlichen Gemeinde, das „ewige Leben" (eure Seele) durch die Anfechtungen der
Welt und der Zeit hindurch zu bewahren oder zu gewinnen beziehungsweise hinüberzuretten. Damit aber wird abermals deutlich,
daß anthropologische Überlegungen, wenn überhaupt, nur eine
untergeordnete Rolle spielen. „Andrerseits unterscheidet sich diese
Aussage auch von der von Lukas abgelehnten Anschauung von der
unsterblichen Seele, die der Mensch ja nicht erst in der Zukunft erlangen würde."[29]

3. DIE ESCHATOLOGIE ALS FUNKTION DER
CHRISTUSVERKÜNDIGUNG?

Die bisherigen Ausführungen haben erkennen lassen, daß der christologische Denkansatz von E. E. Ellis der Diskussion neue Wege
gewiesen hat. Wenn es richtig ist, daß Lukas die Eschatologie auf die
Person Jesu bezogen hat, dann ist das starre „entweder – oder" zwischen „futurischer Eschatologie" und „realized eschatology" entschärft. Das damit zusammenhängende christologische Problem: ist
Jesus nur der prophetische Bote des zukünftigen Gottesreiches, oder
ist er der Repräsentant der jetzt schon voll realisierten Basileia,[1] erhält
unter Berücksichtigung des Erhöhungsgedankens einen neuen Blick-

---

[27] *Zmijewski,* Eschatologiereden 177 Anm. 235, versteht den Ausdruck
ψυχάς im ambivalenten Sinne.

[28] *Dautzenberg,* Sein Leben bewahren 64.

[29] *E. Schweizer,* ψυχή, in: ThWNT IX 647.

[1] *Dodd,* The Parables 204: „The Church prays, ‚The Kingdom come';
‚Come, Lord Jesus.' As it prays, it remembers that the Lord did come,
and with Him came the Kingdom of God".

winkel. Lukas sieht von seiner geschichtlichen Warte aus im irdischen Jesus den Erhöhten; die Erfahrung der nachösterlichen Kirche, das Pneuma, die Wunder, die Mission sind für Lukas vorösterlich auf die Person Jesu konzentriert. Jesus ist die „Mitte der Zeiten" in einem tieferen, die lineare Heilsgeschichte überbietenden Sinne. Der „Mann aus Nazaret" ist der zum Himmel Erhöhte und der am Ende der Zeiten Wiederkommende. Trotz dieser positiven Bewertung der Studie von E. E. Ellis müssen einige kritische Fragen gestellt werden.

3.1 DAS SCHALIACH-INSTITUT ALS LUKANISCHES DENKMODELL?

Es ist sehr die Frage, ob das jüdische Schaliach-Institut mit Lk 10,9 und 11,20 in Verbindung gebracht werden kann. Das „Ankommen" der Basileia ereignet sich zeichenhaft in den Krankenheilungen und Dämonenaustreibungen, es ist auch zuzugeben, daß dem Jünger das Wort vom Kommen des Gottesreiches (Lk 10,9; Mt 10,7f) zur Verkündigung übergeben wird, „damit (er) an die Seite Jesu und damit weiter unter den Willen Gottes, der seine Autonomie zerschlägt und ihm nur volle gehorsame Hingabe an seinen Auftrag übrig läßt"[2], tritt, aber es ist nicht einzusehen, daß hier ein Hinweis auf die „Identifikation der Nachfolger Jesu mit dessen eigener Person" gegeben sein soll. Das auffällige „zu euch" (ἐφ' ὑμᾶς) betont zwar ein bevorzugtes und möglicherweise auch exklusives Verhältnis der hier Angesprochenen zur Basileia Gottes, es ist auch nicht zu leugnen, daß die Gottesherrschaft bei Lukas auf die Person Christi bezogen ist, aber sie geht nicht darin auf. Die Jünger Jesu, das Gottesreich und Jesus als dessen Bringer müssen trotz der nicht zu übersehenden engen Beziehungen klar voneinander unterschieden werden.

3.2 WEITERE HINWEISE FÜR DIE KORPORATIVE EINHEIT ZWISCHEN JESUS UND SEINEN NACHFOLGERN?

Eine genauere Überprüfung der Aussendungsstellen (ἀποστέλλειν)[1] führt zu dem Ergebnis, daß es sich hier keines-

---

[2] *K. H. Rengstorf*, ἀπόστολος, in: ThWNT I 430.
[1] Lk 9,2 vgl. Mk 3,14; Lk 10,1 S; Lk 10,3 vgl. Mt 10,16; Lk 19,29 = Mt 21,1

falls um eine typisch lukanische Eigentümlichkeit handelt. Bei Mattäus und Markus finden sich vergleichbare Stellen.[2] Ähnliches gilt auch für das Reden und Handeln in Stellvertretung Jesu.[3] Die Jesusgemeinschaft im Essen und Trinken beim Abendmahl wird

---

= Mk 11,1; Lk 22,35 S; Lk 22,8 = Mk 14,13. Daß im Apostolatsgedanken eine durch die Schaliach-Vorgabe vermittelte besondere Nähe zu Jesus ausgedrückt ist, bedarf nicht der besonderen Darlegung; vgl. hierzu *K. H. Rengstorf,* ἀπόστολος, in: ThWNT I 421–431. Es kann in diesem Zusammenhang auch von einem Aufgehen des Beauftragten in seiner Aufgabe (Lk 10,17), ja auch von einer besonderen Beziehung zu dem Auftraggeber gesprochen werden. Bemerkenswert ist auch die Tatsache, daß die Betrauung des Gesandten (Schaliach-Apostolos) mit der Wortverkündigung als Tat Jesu dargestellt wird. *Jesus* sendet die Jünger zur Predigt (Mk 3,14) und zur Ankündigung des Himmelreiches (Mt 10,7f vgl. Lk 9,2), *er* stellt sich mit seiner persönlichen Autorität hinter das Wort ihrer Predigt (Mk 9,41; Lk 10,16; Mt 10,40ff), bei ihrer Rückkehr können sie berichten, daß die Dämonen ihnen *„in seinem Namen"* gehorcht haben (Lk 10,17). Die angemessene Kategorie für all das ist nicht „Identifikation", sondern „Repräsentation"; vgl. auch *K. Kertelge,* Gemeinde und Amt im Neuen Testament, München 1972, 160: „Die Identifizierung mit Jesus betrifft also die Verkünder der Botschaft Jesu hinsichtlich ihrer Verkündigung. Die ‚repraesentatio Christi' durch seine Boten ist somit funktional bestimmt". *Roloff,* Apostolat 12, stellt mit Recht fest: „Somit ergibt sich: šaliaḥ ist ein Relationsbegriff, der erst seine Füllung durch den Blick auf Auftraggeber und Inhalt des Auftrags erhält, aber nichts aussagt über Wesen und Status des Gesandten".

[2] Neben den bereits genannten Stellen auch Mk 6,7; Mt 10,5; vgl. *K. H. Rengstorf,* ἀποστέλλω, in: ThWNT I 402: „Das Vorkommen in den Evangelien und der Apostelgeschichte erstreckt sich, etwa dem Umfang der einzelnen Schriften entsprechend, auf alle gleichmäßig".

[3] Lk 10,16: „Wer euch hört, hört mich, wer euch nicht achtet, achtet mich nicht" (ὁ ἀκούων ὑμῶν ἐμοῦ ἀκούει, καὶ ὁ ἀθετῶν ὑμᾶς ἐμὲ ἀθετεῖ), mit einer Parallele in Mt 10,40: „Wer euch aufnimmt, nimmt mich auf" (ὁ δεχόμενος ὑμᾶς ἐμὲ δέχεται); Mt 25,40.45; Joh 13,20. Lukas betont besonders die Predigt, in welcher der Herr gegenwärtig wird. Vgl. *Hoffmann,* Studien 285 Anm. 154: „Das Verbum ἀκούειν findet sich bei Lukas häufig im Zusammenhang mit dem Anspruch der Verkündigung und gewinnt so eine positive theologische Qualität, obwohl auch nach lukanischer Vorstellung zum Hören der Glaube kommen muß, um zum Heil zu führen". Daß das eschatologische Heil im ausschließlichen Sinne in die gegenwärtige Predigt eingegangen ist, kann daraus nicht geschlossen werden, erst recht ist die Identität Jesu mit den Verkündigern nicht in der Aussageabsicht des Lukas enthalten.

nicht nur von Lukas, sondern übereinstimmend von allen drei Synoptikern (und Paulus) ausgesagt. Die Identifizierung des erhöhten Jesus mit seiner Gemeinde (Apg 9,4) ist zwar auffällig, aber es ist die Frage, ob hier bewußte theologische Reflexion in dem von Ellis angegebenen Sinne vorliegt, oder ob es sich nicht vielmehr um eine unreflektierte Redewendung oder um eine Konkretisierung der Lehre Jesu handelt. Ob aus dem Fehlen der Gerichtsaussage in dem Jesajazitat (61,1f) Lk 4,18f eine überlegte Unterscheidung zwischen Heilsgegenwart in der Predigt Jesu und noch ausstehendem zukünftigem Gericht abgeleitet werden darf, ist mehr als fraglich. Die Gerichtsandrohung, die übrigens in dem nachfolgenden Elija- und Elischabeispiel (4,25–27) mitgehört werden kann, ist im Rahmen der Heilsproklamation störend. Lukas konnte sie deshalb aus „aktuellem Anlaß" übergehen. Das „Heute" des in Jesus gekommenen Heils ist der entscheidende Gesichtspunkt.[4] Nicht das Hinausschieben, sondern das Aussparen der Gerichtsaussage ist bedenkenswert.

3.3 Neue Perspektiven für die Eschatologie des Lukas

Intensiveres Nachdenken verdienen die verschiedenen in Jesu Person und Sendung erkannten Anzeichen einer Kontinuität und Diskontinuität zwischen den beiden Äonen. Die starke Akzentuierung der gegenwärtigen Realität des neuen Äons[1] wäre nur dann eine Verzeichnung des Gesamtbildes, wenn der Autor in der lukanischen Heilsdarstellung keinerlei Zukunftsperspektiven mehr sehen würde. Daß dem nicht so ist, zeigt der Hinweis auf Elemente allgemeiner Eschatologie an Stellen wie Lk 14,14; 17,30–35; 20,36; 21,28; Apg 17,18; 23,6; 24,15.[2] Die Schlußbemerkung über die Funktion der

---

[4] Lukas hat einen entscheidenden Gesichtspunkt der Eschatologie, das „beim Herrn sein" (1 Thess 4,17), kräftig unterstrichen und auf die Gegenwart bezogen. Phil 1,23: „Ich sehne mich danach, aufzubrechen und bei Christus zu sein" zeigt jedoch, daß es sich hier keinesfalls um ein Specificum der lukanischen Theologie handelt.

[1] *Ellis,* Funktion 402: „Da die eschatologische Realität gegenwärtig ist, ist die Länge der zeitlichen Erstreckung bis zur Vollendung keineswegs von entscheidender Bedeutung".

[2] *Ellis,* aaO. 387 Anm. 32.

Menschensohnvorstellung „innerhalb des Rahmens einer Eschatologie, deren zukünftige Vollendung ebenfalls in zwei Stufen geschieht: individuell in Jesu Auferstehung/Erhöhung und universal bei seiner Parusie"[3] verdient Beachtung. Wenn man die überstrapazierte und im Detail auch anfechtbare Idee der korporativen Einheit zwischen Jesus und seinen Nachfolgern auf das reduziert, was sie wirklich aussagt: Jüngerschaft ist die in Jesus konkret erfahrene Nähe des eschatologischen Heils, dann ist damit in der Tat die für Lukas charakteristische Ausrichtung der Eschatologie getroffen.

KURZE ZUSAMMENFASSUNG UND ERGEBNIS

Die Ausgangsfrage unserer Überlegungen hat gelautet, wie Lukas das Problem der bewußt erfahrenen Zeit theologisch bewältigt hat. Die Antwort wurde im Gespräch und in der kritischen Auseinandersetzung mit drei bedeutenden Hypothesen, welche die Diskussion maßgeblich beeinflußt haben, gesucht.

1. Lukas hat die urchristliche Eschatologie nicht durch den neuen Entwurf einer Heilsgeschichte ersetzt, er hat vielmehr die beiden nur scheinbar widersprüchlichen Größen einander zugeordnet. Dies geschah einerseits durch die Freilegung der geschichtlichen Dimensionen des Heils und andererseits durch die Relativierung der Geschichte mit Hilfe von traditionellen eschatologischen „Signalen". Lukas überliefert Naherwartungslogien, ohne freilich Aussagen über eine zeitliche Nähe machen zu wollen. Die Zukunft des Heils ist für ihn der ausschlaggebende Gesichtspunkt. Der unmittelbare Anlaß für derartige Bemühungen war die zunächst als problematisch, dann aber als höchst sinnvoll erfahrene Zeit. Um der jeder Geschichte, auch der Heilsgeschichte innewohnenden Tendenz zur Verweltlichung zu begegnen, mußte die noch ausstehende Zukunft betont werden. Der 3. Evangelist hat dies auf seine besondere Weise getan.

2. Lukas hat nicht an die Stelle des futurisch orientierten Zwei-Äonen-Schemas das durch das platonisch-gnostische Welt- und Daseinsverständnis bestimmte ungeschichtliche Zeit-Ewigkeits-Modell gesetzt. Die vertikale Dimension der Eschatologie war vielmehr die

---

[3] *Ellis,* aaO. 402.

notwendige Folge der bewußt reflektierten Erhöhung Christi. Das „Jenseits" des Heils hat dessen Zukünftigkeit nicht aufgesogen, die Himmelfahrt Jesu hat die Parusie am Ende der Tage nicht gegenstandslos werden lassen;[1] das „Ergehen" Jesu Christi, das dem 3. Evangelisten aufgrund seiner distanzierteren Betrachtung deutlicher vor Augen stand, hat seinen Niederschlag gefunden in der um eine neue Dimension erweiterten Eschatologie. Lukas hat dabei nur expliziert, was ihm von der frühesten Tradition her bereits vorgegeben war.

3. Die eigentliche Mitte der lukanischen Theologie ist nicht die Eschatologie und auch nicht die Heilsgeschichte, sondern die Christologie. Lukas verkündet Christus als den Gekommenen, als den Wiederkommenden und als den in den Himmel Erhöhten,[2] der in der gegenwärtigen Zwischenzeit im Wirken der Kirche[3] und im Pneuma erfahren wird. Der Christus des 3. Evangeliums steht nicht außerhalb der Geschichte,[4] er geht aber auch nicht auf in der Geschichte,[5] er ist der Herr der Geschichte. Die Eschatologie ist für Lukas in diesem Sinne ein – freilich durchaus zentraler und wesentlicher – Aspekt der Christologie.

---

[1] So *Flender,* Heil und Geschichte 87 Anm. 26: „Für Lk. sind im Himmel Erhöhung und Parusie eins. Jesu Weg ist mit seiner Erhöhung zu Ende". Flender relativiert dann allerdings diese sehr eindeutige Aussage wieder, wenn er die Parusie „das Offenbarwerden der im Himmel angetretenen Herrschaft Jesu auch auf Erden" nennt. Die Aussagen über die Wiederkunft setzen wohl voraus, daß am Ende Gott noch einmal in die Geschicke der Welt eingreifen wird. Vgl. auch *Schneider,* Parusiegleichnisse 98: „Es bleibt wichtig, von der Ankunft des Herrn am Ende die Auferweckung der Toten und das Endgericht zu erwarten. Denn durch diese Taten Gottes findet die Welt ihre Vollendung".

[2] Die Reden der Apostelgeschichte sind aufschlußreich: Apg 2,32–36: Auferweckung und Erhöhung sind hintereinander in engstem Zusammenhang geschehen, trotzdem voneinander geschieden; Apg 5,31: Erhöhung wird hier verstanden als Ermächtigung Jesu zur Heilsvermittlung. Apg 13,33, vgl. auch das zu Lk 9,51 Gesagte.

[3] Auf die in Jesus, dem irdischen und erhöhten Herrn, gegebene Kontinuität zwischen den beiden voneinander zu unterscheidenden, aber nicht zu scheidenden Zeitabschnitten „Zeit Jesu" und „Zeit der Kirche" weisen die Fortdauer der Reich-Gottes-Verkündigung (Apg 8,12; 14,22; 19,8; 20,25; 28,23.31), die durch die Jünger gewirkten Heilungen und

Wunder (Apg 5,12–16 u. ö.) im „Namen Jesu Christi" (Apg 3,6; 3,16; 4,10.30; 19,13) hin. „Also wird die Zeit des irdischen Jesus durch den Heiligen Geist in die Zeit der Kirche übergeführt und Jesu Wirken auf eine neue Ebene erhoben" (*R. Schnackenburg,* Christologie des Neuen Testamentes, in: Mysterium Salutis 3,1, Einsiedeln–Zürich–Köln 1970, 300).

[4] Nach *Bultmann,* Theologie 301f, hat Christus und das Heil mit Geschichte im herkömmlichen Sinne von Historie nicht das Geringste zu tun. Das Heilsgeschehen begegnet dem Menschen nur *„im verkündigenden, im anredenden, fordernden und verheißenden Wort* . . .; ein ‚erinnernder', historischer, d. h. auf ein vergangenes Geschehen hinweisender Bericht kann es (das Heilsgeschehen) nicht sichtbar machen". Damit ist die Frage nach der Heilsbedeutung Jesu ad acta gelegt.

[5] Diesen Eindruck könnte man bei der Verweisung des irdischen Jesus in die Vergangenheit, an die man sich bestenfalls noch erinnert und aus der man „Lehren" zieht, gewinnen. Richtig *Schnackenburg,* Christologie 300: „Was in seiner (Jesu) Person und in seinem Wirken durchbrach, das erfüllt sich nun nach Gottes Plan in der Zeit der Kirche auf der Grundlage des Werkes Jesu".

Literaturverzeichnis

Baer H. v., Der Heilige Geist in den Lukasschriften, in: Das Lukas-Evangelium. Die redaktions- und kompositionsgeschichtliche Forschung, hrsg. v. G. *Braumann* (Wege der Forschung CCLXXX) Darmstadt 1974; zuerst veröffentlicht in: Der Heilige Geist in den Lukasschriften (BWANT 3. Folge 3. Heft) Stuttgart 1926, 205–210.

Becker J., Johannes der Täufer und Jesus von Nazareth (BSt 63) Neukirchen 1972.

Bultmann R., Glaube und Verstehen I. Gesammelte Aufsätze, Tübingen [5]1964.

– Glaube und Verstehen III. Gesammelte Aufsätze, Tübingen [2]1962.

– Theologie des Neuen Testaments, Tübingen [4]1961.

Conzelmann H., Die Mitte der Zeit. Studien zur Theologie des Lukas (BHTh 17) Tübingen [5]1964.

Cullmann O., Christus und die Zeit. Die urchristliche Zeit- und Geschichtsauffassung, Zürich [3]1962.

– Heil als Geschichte. Heilsgeschichtliche Existenz im Neuen Testament, Tübingen [2]1967.

Dautzenberg G., Sein Leben bewahren. ψυχή in den Herrenworten der Evangelien (StANT XIV) München 1966.

Degenhardt H. J., Lukas, Evangelist der Armen. Besitz und Besitzverzicht in den lukanischen Schriften, Stuttgart 1965.

Dodd C. H., The Parables of the Kingdom, London (1935) [11]1952.

Dupont J., Die individuelle Eschatologie im Lukasevangelium und in der Apostelgeschichte, in: Orientierung an Jesus. Festschrift f. J. Schmid, Freiburg–Basel–Wien o. J. (1973) 37–47.

Ellis E. E., Die Funktion der Eschatologie im Lukasevangelium: ZThK 66 (1969) 387–402.

– The Gospel of Luke (The Century Bible) London 1966.

Ernst J., Das Evangelium nach Lukas (RNT) Regensburg 1977.

Flender H., Heil und Geschichte in der Theologie des Lukas (BEvTh 41) München [2]1968.

– Die Kirche in den Lukas-Schriften als Frage an ihre heutige Gestalt, in: Das Lukas-Evangelium 261–286; zuerst veröffentlicht in: Kirche in der Zeit 1966, 250–257.

Friedrich G., Lk 9,51 und die Entrückungschristologie des Lukas, in: Orientierung an Jesus. Festschrift f. J. Schmid, Freiburg–Basel–Wien o. J. (1973) 48–77.

Geiger R., Die lukanischen Endzeitreden. Studien zur Eschatologie des Lukas-Evangeliums (Europäische Hochschulschriften Reihe XXIII, 16) Bern–Frankfurt 1973.

Gräßer E., Die Naherwartung Jesu (SBS 61) Stuttgart 1973.

- Das Problem der Parusieverzögerung in den synoptischen Evangelien und in der Apostelgeschichte (BhZNW 22) Berlin (1957) [2]1960.

Grundmann W., Der Begriff der Kraft in der neutestamentlichen Gedankenwelt (BWANT F. 4 Heft 8) Stuttgart 1932.

- Das Evangelium nach Lukas (ThHK 3) Berlin [3]1964.

Hahn F., Christologische Hoheitstitel. Ihre Geschichte im frühen Christentum (FRLANT 82) Göttingen [3]1966.

Hauck F., Das Evangelium des Lukas (ThHK 3) Leipzig 1934.

Hoffmann P., Studien zur Theologie der Logienquelle (NTA NF 8) Münster 1972.

Jeremias J., Die Gleichnisse Jesu, Göttingen [7]1965.

Jülicher A., Die Gleichnisreden Jesu II, Tübingen 1910, unveränderter Nachdruck Darmstadt 1963.

Kümmel W. G., Das Bild des Menschen im Neuen Testament (AThANT 13) Zürich 1948.

- Einleitung in das Neue Testament, 17., wiederum völlig neu bearbeitete Auflage der Einleitung in das Neue Testament von *P. Feine* und *J. Behm*, Heidelberg 1973.

- Heilsgeschichte im Neuen Testament, in: Neues Testament und Kirche. Festschrift R. Schnackenburg, Freiburg–Basel–Wien o. J. (1947) 434–457.

- Lukas in der Anklage der heutigen Theologie: ZNW 63 (1972) 149–165.

- Die Naherwartung in der Verkündigung Jesu, in: Zeit und Geschichte. Dankesgabe an R. Bultmann, Tübingen 1964, 31–46.

- Die Theologie des Neuen Testaments nach seinen Hauptzeugen Jesus-Paulus-Johannes (Grundrisse zum Neuen Testament NTD 3) Göttingen 1969.

- Verheißung und Erfüllung. Untersuchungen zur eschatologischen Verkündigung Jesu (AThANT 6) Zürich [3]1956.

Löning K., Lukas – Theologe der von Gott geführten Heilsgeschichte (Lk, Apg), in: Gestalt und Anspruch des Neuen Testaments, hrsg. von *J. Schreiner* und *G. Dautzenberg*, Würzburg 1969, 200–228.

Lohfink G., Die Himmelfahrt Jesu. Untersuchungen zu den Himmelfahrts- und Erhöhungstexten bei Lukas (StANT XXVI) München 1971.

- Die Himmelfahrt Jesu – Erfindung oder Erfahrung. Stuttgart 1972.

Lührmann D., Die Redaktion der Logienquelle (WMANT 33) Neukirchen 1969.

Manson T. W., The Sayings of Jesus, London (1949) 1964.

Merk O., Das Reich Gottes in den lukanischen Schriften, in: Jesus und Paulus. Festschrift W. G. Kümmel, Göttingen 1975, 201–222.

Michaelis W., Der Herr verzieht nicht die Verheißung. Die Aussagen Jesu über die Nähe des jüngsten Tages, Bern 1942.

Moore A. L., The Parousia in the New Testament (Suppl. to NovT 13) Leiden 1966.

Otto R., Reich Gottes und Menschensohn. Ein religionsgeschichtlicher Versuch, München ³1954.

Pesch R., Naherwartungen. Tradition und Redaktion in Mk 13, Düsseldorf 1968.

Pesch W., Zur Exegese von Mt 6,19–31 und Lk 12,33–34: Bibl 41 (1960) 356–378.

Plummer A., A Critical and exegetical Commentary on the Gospel according to S. Luke (ICC) Edinburgh (1922) ⁸1964.

Rengstorf K. H., Das Evangelium nach Lukas (NTD 3) Göttingen ¹²1967.

Riesenfeld H., Zu μακροθυμεῖν (Lk 18,7), in: Neutestamentliche Aufsätze. Festschrift f. J. Schmid, Regensburg 1963.

Robinson W. C. jr., Der theologische Interpretationszusammenhang des lukanischen Reiseberichts, in: Das Lukas-Evangelium 115–134.

Roloff J., Apostolat-Verkündigung-Kirche. Ursprung, Inhalt und Funktion des kirchlichen Apostelamtes nach Paulus, Lukas und den Pastoralbriefen, Gütersloh 1965.

Schmid J., Das Evangelium nach Lukas (RNT 3) Regensburg ⁴1960.

Schnackenburg R., Gottes Herrschaft und Reich. Eine biblisch-theologische Studie, Freiburg–Basel–Wien ³1963.

Schneider G., Das Evangelium nach Lukas Kapitel 1–10 / 11–24 (Ökumenischer Taschenbuchkommentar zum Neuen Testament 3/1 und 3/2) Gütersloh 1977.

– Parusiegleichnisse im Lukas-Evangelium (SBS 74) Stuttgart 1975.

Schürmann H., Das Lukasevangelium. I. Teil: Kommentar zu Kap. 1,1–9,50 (HThK 3,1) Freiburg–Basel–Wien 1969.

– Evangelienschrift und kirchliche Unterweisung, in: *ders.*, Traditionsgeschichtliche Untersuchungen zu den synoptischen Evangelien, Düsseldorf 1968, 251–271; zuerst veröffentlicht in: Miscellanea Erfordiana (EThSt 12) Leipzig 1962, 48–73.

– Das Thomasevangelium und das lukanische Sondergut: BZ 7 (1963) 236–260; Abdruck in: *ders.*, Traditionsgeschichtliche Untersuchungen 228–247.

– Mt 10,5b–6 und die Vorgeschichte des synoptischen Aussendungsberichtes, in: Traditionsgeschichtliche Untersuchungen 137–149; zuerst veröffentlicht in: Neutestamentliche Aufsätze. Festschrift f. J. Schmid, Regensburg 1963, 270–282.

– Der Einsetzungsbericht Lk 22,19–20. II. Teil einer quellenkritischen Untersuchung des lukanischen Abendmahlsberichtes Lk 22,7–38 (NTA 20) Münster 1955.

– Das hermeneutische Hauptproblem der Verkündigung Jesu. Eschatologie und Theo-logie im gegenseitigen Verhältnis, in: Traditionsgeschichtliche Untersuchungen 13–35; zuerst veröffentlicht in: Gott in Welt I. Festgabe f. K. Rahner, Freiburg–Basel–Wien 1964, 579–607.

– Eschatologie und Liebesdienst in der Verkündigung Jesu, in: Vom Messias zum Christus. Die Fülle der Zeit in religionsgeschichtlicher und theologischer Sicht, hrsg. v. *K. Schubert,* Wien–Freiburg–Basel 1964, 203–232.

Schulz S., Q. Die Spruchquelle der Evangelisten, Zürich 1972.

– Die Stunde der Botschaft. Einführung in die Theologie der vier Evangelisten, Zürich [2]1970.

– Gottes Vorsehung bei Lukas: ZNW 54 (1963) 104–116.

Stöger A., Das Evangelium nach Lukas (Geistliche Schriftlesung 3/2) Düsseldorf 1966.

Talbert Ch. H., Die antidoketische Frontstellung der lukanischen Christologie, in: Das Lukas-Evangelium 354–377.

Thüsing W., Erhöhungsvorstellung und Parusieerwartung in der ältesten nachösterlichen Christologie (SBS 42) Stuttgart 1969.

Tolbert M., Die Hauptinteressen des Evangelisten Lukas, in: Das Lukas-Evangelium 337–353.

Vielhauer Ph., Gottesreich und Menschensohn in der Verkündigung Jesu, in: Festschrift G. Dehn, Neukirchen-Moers 1957, 51–79; jetzt in: Aufsätze zum Neuen Testament, München 1965, 55–91.

Weiß J., Die Predigt Jesu vom Reiche Gottes, Göttingen ([1]1892; [2]1900) Neudruck in der dritten Auflage, hrsg. v. *F. Hahn,* Göttingen 1964.

Wilckens U., Lukas und Paulus unter dem Aspekt dialektisch-theologisch beeinflußter Exegese, in: Rechtfertigung als Freiheit. Paulusstudien, Neukirchen 1974, 171–202.

Wilson S. G., Lukan Eschatology: NTS 16 (1970) 330–347.

Zmijewski J., Die Eschatologiereden des Lukas-Evangeliums. Eine traditionsgeschichtliche Untersuchung zu Lk 21,5–36 und Lk 17,20–37 (BBB 40) Bonn 1972.

Stellenregister

ALTES TESTAMENT

Gen 5,24	90
49,33	84
1 Kön 8,37	72
2 Kön 2,1–18	90
Tob 14,11	84
Ps 15,10 (LXX)	102
17,38	84
Weish 5,13	84
Sir 11,18 f	79
Jes 1,24 ff	29
5,24	29
10,17	29
10,18 f	29
47,14	29
61,1	35.61.110
Jer 14,12	72
21,7	72
21,14	29
22,7	29
38,2	72
Ez 5,12	72
21,2 f	29
Dan 7,13	19
Obd 18	29
Nah 1,10	29
Zef 1,18	84
Sach 11,1 f	29
Mal 3,19	29

NEUES TESTAMENT

Mattäus

1,38	35
3,2	31

Mattäus

3,10	28
3,12	28
4,1	64
6,19–21	79
6,25	104
7,13 f	50
7,22 f	50
9,35	60
10,5	109
10,5 b–6	31
10,7	60.61
10,7 f	108.109
10,8–12	31
10,16	108
10,28	81.101
10,40	35.109
11,12–14	30
12,28	16.32.33.61.64
16,28	62
19,29	62
21,1	108
21,9	62
23,26	58
24,33	44
24,34	44
24,43 f	50
24,45–51	50
24,48	42
24,49	41
25,1	62
25,14–30	50
25,31–46	50
25,40	109
25,45	109

Markus

1,12	64
1,15	16.45.61
3,14	108.109
3,28 f	16
4,11	55
6,7	109
8,31	53.54
8,35 f	102
8,36	101
9,1	15.45.55.56.62
9,2–10	57
9,31	53
9,37	35
9,41	109
10,29	62
10,33 f	53
11,1	109
11,10	62
13,4	72
13,6	45
13,8	72
13,10	50
13,13	74
13,13 b	106
13,19	17
13,24 a	50
13,30	44
13,32	45.50
14,13	109
16,19	91

Lukas

1,1	25
1,5	57
1,8	57
1,17	65
1,23	57

Lukas

1,32 f	36
1,33	16.63
1,35	36.64.65.66
1,46 f	105
1,59	57
2,1	57
2,6	57
2,11	36
2,14	36
2,46	57
2,49	53
3,7	30
3,7–9	34
3,9	28.29.31
3,10–14	29
3,12	29
3,15	30
3,16	29
3,16 f	21.67
3,17	28.29.31
3,18	31
3,21	57
3,21 f	36
3,22	64.66
3,23	18
3,38	18.22
4,1	66
4,13	13
4,14	64.65.66
4,18	64.65.110
4,18 f	21.35
4,21	61
4,25–27	110
4,36	64.65
4,41	45
4,43	35.53.60

Lukas

5,1	57
5,12	57
5,17	57.65
5,23 f	22
6,12	57
6,19	65.79
7,9	40
7,11	57
7,50	40
8,1	57.60
8,10	55
8,15	74
8,22	57
8,40	57
8,46	65
8,48	40
8,55	105.106
9,1	61.65
9,2	60.61.108.109
9,11	60
9,22	53
9,23	56
9,24 b	107
9,25	101
9,26	56.93
9,27	15.45.55.56.61
9,28–36	56
9,31	91
9,37	57
9,44	91
9,48	35
9,51	19.91.112
9,51–18,14	70
9,51–19,27	70
9,60	60
10,1	31

Lukas

10,3	31.108
10,4	31
10,5–7	31
10,9	21.31.32.33.35.51. 60.108
10,11	31.32.33.47.51.60
10,12	33
10,13	65
10,16	35.109
10,17	60.109
10,19	65
10,21	64.67
10,25	106
10,40 ff	109
11,20	16.21.32.33.51.61 64.67.98.108
12,4	82
12,4 f	81.101
12,5	81.82
12,8	93
12,8 f	82
12,10	65.67
12,13 f	81
12,13–21	78.81
12,13–34	79.80
12,15	78.81
12,16–20	81.93
12,16–21	68.78.81
12,19	80.104
12,20	80
12,21	79.80.81
12,22	104
12,22–34	78.81
12,33	79.80.83
12,33 f	79.80
12,35 f	63

Lukas

12,35–38	50
12,35–48	93
12,39f	50
12,40	80
12,41f	41
12,41–46	40
12,42	40
12,42–44	41
12,42–36	50
12,43f	40.41
12,45	41.42
12,45f	40.41
12,54f	93
12,57–59	30
12,58f	93
13,6–9	34
13,11	55
13,24–27	50
13,33	53
14,1–24	69.70
14,14	21.110
14,29–32	36
16,1–9	82
16,7	83
16,8	83
16,9	80.83.84
16,16	13.60
16,19–31	85.100
16,22f	103
17,19	40
17,20	45.46
17,20f	61
17,21	47.58
17,22b	51
17,22ff	92
17,24f	54

Lukas

17,25	53.58
17,26–35	93
17,30–35	21.110
17,33	107
17,37b	58
18,1	39
18,1–5	37
18,5	39
18,6–8	37.39
18,7b	38.39
18,7f	37
18,8	93
18,8b	37
18,18	106
18,29	62
18,30	106
18,31	54
18,42	40
19,5	53
19,11	45
19,12–27	50
19,29	108
19,37	65
19,38	62
20,17	21
20,36	21.110
21,5–24	73
21,5–38	42.72
21,7	72
21,7–11	72
21,8	45.72
21,9	72
21,10	72
21,11	72.73
21,12–19	15.73
21,17	17

Lukas		Johannes	
21,19	74.106	3,8	64
21,23	17	13,20	109
21,24	72		
21,25–27	44	Apostelgeschichte	
21,25–28	45.72.73	1,1	13
21,26	65	1,1–5	68
21,27	65.74.93	1,2	67.91
21,28	21.42.110	1,3	60
21,29	44	1,6	22
21,29f	42	1,6–8	46
21,30	44	1,6–11	93
21,31	43.44	1,8	66.93
21,32	42.44	1,9–11	90
21,34	15	1,11	91.94
21,34–36	93	1,22	91
21,36	51.93	2,23	15
22,3	13	2,27	104
22,8	109	2,31	102.103
22,19	75	2,32–36	112
22,21–38	70	2,33	22.66.67
22,22	15	3,6	113
22,30	16.63	3,13–15	75
22,35	109	3,16	113
22,37	53.54	3,18	15.25.54
22,69	65	3,19–21	94
23,42	16.63.75.86	3,20	35
23,43	21.22.76.100.103	3,20f	19
23,44f	75	3,21	25.97
23,46	106	3,24	25
24,7	53.54	3,26	35
24,26	54	4,10	113
24,39	103	4,28	15
24,44	54	4,30	113
24,46	54	5,12–16	113
24,49	65.67	5,31	112
24,50–53	90.91	6,14	21

Apostelgeschichte

7,48	21
7,52	15
7,55	89
7,56	94
8,12	60.63.112
8,29	66
8,33	43
8,39	66
9,4	21.110
10,19	66
10,36	35
10,37	25
10,38	66
10,42	94
11,12	66
13,2	66
13,2–4	66
13,4	66
13,24	15
13,26	35
13,27–29	75
13,33	112
14,22	112
15,16	21
16,6f	66
17,3	54
17,18	21.110
17,22–34	18
17,22–37	54
17,24	21
19,8	112
19,13	113
20,10	104.105.106
20,22f	66
20,25	60.112
20,27	15

Apostelgeschichte

22,14	15
23,6	21.110
24,15	21.110
26,16	15
26,23	21.54
27,22f	104
28,23	60.112
28,28	35
28,31	60.63.112

Römer

8,23	16
13,11	24

1 Korinther

15,3f	75
15,12	100

2 Korinther

1,22	16
5,4–10	85
5,5	16

Philipper

1,23	85.110

1 Thessalonicher

4,13ff	46
4,17	86.110

2 Thessalonicher

2,7	46

1 Timotheus

3,16	91

Hebräer
10,39   102

1 Petrus
1,9   102

Offenbarung
22,20   12

Apokryphen und Pseudepigraphen

Apokalypse Abraham
21,6f   101

Apokalypse Moses
37,5   101

Assumptio Mosis
10,2   91

syrische Baruchapokalypse
46,7   91
76,2   90

4. Esdrasbuch
9,3   72
14,9   90
14,13f   90

äthiopisches Henochbuch
22   106
38,1ff   85
39,4ff   106
39,6f   85
60,7f   101
60,23   101

äthiopisches Henochbuch
61,12   101
70,4   101
91,10   106
92,3   106
97,8ff   79
98,3   106
98,10   106
103,3f   106
103,7f   106

slawisches Henochbuch
9,1   101
42,3a   101
67b   90

Jubiläenbuch
23,26–31   106

Psalmen Salomos
4,18   91

Testament Abraham
15   91

Testament Dan
5,13–6,4   32

Testament Ruben
1,4   84

Judaica

Flavius Josephus
Antiquitates
2,184   84
4,326   90

Flavius Josephus
Bellum judaicum
4,68   84
6,5,4   46

Philo
Vita Mosis II 291   91

Autorenregister

Baer H. v.   65

Barrett C. K.   17.65.88

Bartsch H. W.   77

•Becker J.   29.30.59

Black M.   32

Bornkamm G.   36

Bousset W.   100

Büchsel F.   44

Bultmann R.   11.16.23.24.
37.69.113

Catchpole D. R.   37

Conzelmann H.   13.14.15.
16.18.25.28.30.33.35.39.
43.44.55.57.60.63.64.65.
73.74

Cullmann O.   12.23.25.26.
27.44.48.49.73.81.87.93

Dautzenberg G.   74.101.
102.104.105.107

Degenhardt H. J.   78.79.
80.83.84

Dibelius M.   75

Dinkler E.   88

Dodd C. H.   11.32.41.58.
77.107

Dupont J.   78.80.81.82.
83.85

Ellis E. E.   20.21.22.23.46.
50.51.66.88.92.97.98.
100.103.108.110.111

Ernst J.   11.17.30.31.35.
37.40.43.61.65.68.69.70.
71.72.75.76.79.81.90.93.

Ernst J.   99.105.106

Feuillet A.   44

Flender H.   18.19.20.52.
53.66.69.88.92.93.94.95.
96.112

Friedrich G.   91.94

Fuchs E.   34

Geiger R.   73.74

Georgi D.   88

Gräßer E.   12.14.26.30.33.
37.39.44.47.49.50.51.60

Greshake G.   89.99.100

Grundmann W.   35.55.
59.65

Haenchen E.   88

Hahn F.   36

Harnack A. v.   29

Hauck F.   34

Hoffmann P.   28.29.31.33.
42.50.81.109

Hutton W. R.   32

Jeremias J.   37.38.39.41.
79.83.84.101

Jülicher A.   40.41.100

Jüngel E.   34

Käsemann E.   14.23

Kertelge K.   109

Knox W. L.   37

Köhler K.   81

Kümmel W. G.   11.14.23.
26.27.32.33.36.37.39.42.
43.45.48.50.57.77.81.

Kümmel W. G.   89.102.105

Lohfink G.   89.90.93.94.
                     96.99
Lohmeyer E.   77
Löning K.   15.65
Lührmann D.   31.50

Manson T. W.   31.81
Marxsen   43.76.77
Merk O.   34.52.55.57.61.
                     62.64
Michaelis W.   42.43
Moore A. L.   44
Mußner F.   26

Neuhäusler E.   78.80
Nützel J. M.   57

Otto R.   34.35.47.59

Plummer A.   91
Pesch R.   43.44.74
Pesch W.   78.79

Rengstorf K. H.   19.108.109
Riesenfeld H.   38.39
Robinson J. A. T.   94
Robinson W. C. jr.   71
Roloff J.   31.109

Scharbert J.   100
Schilling O.   100
Schmid J.   43
Schmidt K. L.   62.63.71
Schnackenburg R.   16.47.59.
                     63.88.113

Schneider G.   15.17.28.
    30.37.38.39.40.41.42.43.
    44.46.50.56.57.58.66.68.
    69.73.75.76.78.86.87.92.
                     112
Schreiber J.   75.76.77
Schulz S.   31.69.73.95
Schürmann H.   25.28.30.
    31.35.36.47.55.56.68.75.
                     81.102
Schweitzer A.   11.77
Schweizer E.   16.67.81.
    101.102.103.105.106.107
Stöger A.   101

Talbert Ch. H.   19
Thüsing W.   36.57.62.69.
                     94.97
Tolbert M.   68.69
Tödt H. E.   36

Vielhauer Ph.   36
Volz P.   86
Vögtle A.   35.44

Weiß J.   11.16.18.76.85.99
Wellhagen J.   63
Wilson S. G.   30.31.44.
                     45.46
Wikenhauser A. /
Schmid J.   71
Wilckens U.   24.48.49.
                     51.53

Zmijewski J.   43.72.107

Stuttgarter Bibelstudien

behandeln akademische und aktuelle Themen. Die evangelischen
und katholischen Autoren kommen aus verschiedenen Richtungen
der Bibelwissenschaft.
Jährlich erscheinen circa 6 Nummern. Bei Abonnement circa 10%
Preisermäßigung.

Eine Auswahl aus den bisher erschienenen Bänden:

42 W. Thüsing
**Erhöhungsvorstellung und Parusieerwartung in der ältesten
nachösterlichen Christologie**

57 J. Ernst
Anfänge der Christologie

61 E. Gräßer
Die Naherwartung Jesu

65 R. Kratz
Auferweckung als Befreiung
Eine Studie zur Passions- und Auferstehungstheologie des
Matthäus

74 G. Schneider
Parusiegleichnisse im Lukas-Evangelium

82 Jü. Becker
Auferstehung der Toten im Urchistentum

Verlag Katholisches Bibelwerk
Silberburgstraße 121 A
7000 Stuttgart 1